グラフで一目瞭然！

日本の現在と未来

MATSUURA KOJI
松浦浩司

幻冬舎MC

グラフで一目瞭然！

日本の現在と未来

序

　この本の題名を「日本の現在と未来」としました。未来を論じるためには、その基礎となる現在の確固たる認識が不可欠になります。それ故、「現在」の出発点を「第1章　日本の人口問題」に求めました。厚生労働省による2021年の人口動態統計によりますと、2021年の出生者数は84万2897人でした。年間最多出生者数は1950年（昭和25年）の233万7920人ですから、2021年の出生者数は1950年のそれの36.05％に過ぎませんでした。簡単に言えば、2021年の出生者数は1950年のそれの3分の1に減少したのです。2021年に生まれた人々は、将来、人口の中核を形成します。ところで、日本の最多人口は、2008年（平成20年）の1億2808万4000人でした。出生者数が減ることは、将来の総人口も減少することになります。

　将来人口を予測している国立社会保障・人口問題研究所は、今から40年後の2060年の総人口を9122万人になると予測しています。人口9122万人は、1958年（昭和33年）のそれに相当します。

　今から60年後の2080年（令和62年）の予測人口は7429万人で、この予測人口は1944年（昭和19）年の人口7443万人に相当します。

　今から80年後の2100年（令和82年）の予測人口5971万人は、1926年（昭和1年）の人口5973万人に相当します。この様に、わが国の将来人口は、過去の人口に回帰していきます。

　私は人口の減少を移民で補充すべきであるとは考えません。移民

で補えば、年数の経過とともに移民の人数が増加し、日本人が長年培ってきた日本人としての生活様式が失われるからです。この様な点を論じているのが、第9章の「日本の針路」です。

　将来の人口が減少することは、日本の経済力が失われていくことを意味します。これまでの様に、生活に必要とする物が不足する場合、それらを輸入で補うのではなく、できる限り自給すべきと考えます。自給すべき対象は、森林資源（第3章）と農産物（第4章）、畜産物（第5章）、海産物（第6章）などの食品、エネルギー源（第8章）などがあります。

　我が国では、人口が集中している地域と、過疎化が進んでいる地域があります。「第10章　人口集中地と過疎地解消の問題」では、この問題解消の方策を考えています。

　日本に限らず、どの国にとっても最も大切なのは、次世代の健全な育成で、それは教育が担っています。「第11章　教育による次世代育成の問題」はこの点を論じています。

　私は、この本の最も大切な部分は、「第12章　日銀保有国債500兆円超を活用する」だと思います。この章では、一般会計予算・歳出に「毎年10兆円を超える予算的余裕を見出すことができる」と考えているからです。

　国が独立国として存在する限り、国防も不可欠です。「第13章　防衛力を大幅に増強しよう」で、国防の問題を扱っています。

　第1章から第13章までで、日本のあれこれについて、私見を述べました。この本を閉じるにあたり、「第14章　結びに代えて＝新鎖

国論」を設けています。

　この本では、全部で118のグラフを提示しています。グラフを作成するためには、グラフを構成する「数値」が必要です。私は、この数値を矢野恒太第記念会が出版している『日本国勢図会2021／22第79版』、『世界国勢図絵2021／22第32版』、『県勢2021第30判』、『数字で見る日本の100年第7版』に求めています。

　なお、以降で出典を示す際、『日本国勢図会2021／22』を「日本」、『世界国勢図会2021／22』を「世界」、『県勢2021』を「県勢」、『数字で見る日本の100年』を「100年」とする場合があります。

　30頁に掲示された「グラフ4．外国人数の推移」は、1960年から2020年まで10年毎の外国人数を、年度の経過で追っています。このグラフ4は、「日本の100年（25頁）」にその数値を求めています。また、「グラフ5．都道府県別外国人数」は、「北海道から沖縄県に至る47都道府県の外国人数」をグラフの数値としていますので、この様に、県毎の数を求める場合には「県勢（25頁）」によっています。「グラフ6．産業別外国人労働者数」は、『日本国勢図会（79頁）』によっています。また、「グラフ113．世界の国防支出額」の数値は『世界国勢図絵（458〜460頁）』によっています。

　依拠すべき直上の本に基づき、そこに示されている数値によってエクセル上でグラフを作成し、そのグラフをコピーしてワードに貼り付け、本文を作成しました。次掲の第1章から第13章までは、その様にして作成した結果です。

著者の願い

貴方の「日本の未来像」を描いて下さい。

この本の書名は、『日本の現在と未来』で、本の内容は、「日本の現在」と「日本の未来」で構成されています、この二種の内容のうちでより大切なのは「日本の未来」です。なぜなら、「日本の現在」は、「日本の過去と、その結果としての日本の現在」であって、それは今更どうしようもないことであるのに対して、「日本の未来」は、私達の努力によって「より良い日本」を築くことができるからです。

「日本の未来」は、多くの人の「日本の未来はこうあるべきであるという未来像を集約したもの」と私は考えます。それ故、私達の描く「日本の未来像」が、「日本の未来」を形作るのです。

この本で、日本の現在は次の各章からなっています。

人が生きていくうえで、住まいが必要です。この本には、日本の住宅状況が『第2章　住宅問題』と『第3章　森林資源の自給問題』として提示されています。

人が生きていくうえで、食料が必要です。この本には、日本の食料状況として、『第4章　農産物の自給問題』、『第5章　畜産物の自給問題』、『第6章　海産物の自給問題』が提示されています。

人が生きていくうえで、国土が必要です。わが国の国土は38万km^{2}ですが、今日では、国土と併用されるものとして、『排他的経済水域』が存在しています。それ故、この本には『第7章　排他的

経済水域の広さは世界6位』が提示されています。

　さて、上述の日本の現状の中で、言及していなかったのは、『日本の人口』です。日本の人口は、2008年（平成20年）の1億2808万人を最多として、直近の2020年（令和2年）の人口は1億2486万人で、最多人口より3万人減少しています。人口はその後も減少の一途を辿ります。日本の人口問題研究所の将来人口の推計によりますと、今から40年後の2060年（令和42年）の推計人口9122万人は、直近2020年の人口より3364.3万人減少しています。2060年（令和42年）の推計人口9122万人は、1960年（昭和35年）のそれに近い値ですし、80年後の推計人口5971.8万人は1930年に近い値で、これらから、日本の将来人口は、過去の人口に回帰していく傾向にあります。『第1章　日本の人口問題』で、日本の人口問題を述べています。『国土』と『人口』が、国の根本を形作ります。

　『第2章　住宅問題』、『第3章　森林資源の自給問題』、『第4章　農産物の自給問題』、『第5章　畜産物の自給問題』、『第6章　海産物の自給問題』、『第7章　排他的経済水域の広さは世界6位』、『第8章　エネルギー源の自給問題』、は、日本の現状を示したものです。これらの日本の現状のうえに、日本の未来が語られるものと、私は考えています。

　私は『日本の未来』を『第10章　人口集中地と過疎地解消の問題』、『第11章　教育による次世代育成の問題』、『第12章　日銀保有国債500兆円超を活用する』、『第13章　防衛力を大幅に増強しよう』の4つの章で構成しました。

そして、『日本の現在』と『日本の未来』を結ぶ章として『第9章　日本の針路』を設けました。この章では、たとえ将来の人口が減少しようとも、移民で減少分を補うべきではないと述べています。人口減を移民で補えば、そのことが日本人が長年培ってきた日本人の生活様式を喪失させると考えるからです。

　この様な思考の下で『第14章　結びに代えて＝新鎖国論』を設け、本書を閉じています。

　未来は現在の延長線上にあります。読者の皆様には、本書で『日本の現状』を把握されたうえで、『日本の未来像を描いて下さること』を願っています。

目次

第 **1** 章

日本の人口問題

この章では、日本の人口問題を考えます。今のところ、日本の総人口は1億2000万人程ですが、現下、日本の出生者は減少傾向にあり、長期的な人口予測によりますと、7000万人とか6000万人に人口は減少します。

　人口が減少傾向にある場合、その対応策として二つが考えられます。その1は、外国からの移民を受け入れて、現在と同じ程度に総人口を維持しようとする考え方です。その2は、多くの外国人を日本に受け入れた場合、数千年来培ってきた日本の生活習慣は失われますので、移民は一切受け入れず、少ない日本人で、日本の生活様式を守っていこうとする考え方です。

　これらの点を、表1、並びにグラフ1からグラフ6までを参照しながら考えます。

1　出生者数の減少

　読売新聞2022年（令和4年）2月26日の朝刊は、「厚生労働省が2021年の人口動態統計を発表した」と伝えています。同紙によりますと、「2021年の出生数は前年比3.4％減の84万2897人で、6年連続で過去最少を記録した」と報じています。なお、この人数には、「日本在住の外国人や海外在住の日本人も含まれる」とのことです。

　ここで、『数字で見る日本の100年：矢野恒太記念会 第7版18頁〜20頁』に示された「年度」と、「その年度の人口並びに出生率」を用いて「その年度の出生者数」を計算し、これを「表1．出生者

数の計算過程」として示しました。

　この表から、年度が経過するに従い、人口は増加しますが、出生
者数は減少していることが分かります。その理由は、年度の経過と
ともに、出生率が低下しているからです。

表1 出生者数の計算過程

年　度	人　口	出生率	出生者数
1872年（明治５年）	34,806,000人	0.0163	567,338人
1880年（明治13年）	36,649,000人	0.0241	883,241人
1890年（明治23年）	39,902,000人	0.0287	1,145,187人
1900年（明治33年）	43,847,000人	0.0324	1,420,643人
1910年（明治43年）	49,484,000人	0.0318	1,573,591人
1920年（大正９年）	55,473,000人	0.0362	2,008,123人
1930年（昭和５年）	64,450,000人	0.0324	2,088,180人
1940年（昭和15年）	71,930,000人	0.0294	2,214,742人
1950年（昭和25年）	83,200,000人	0.0281	2,337,920人
1960年（昭和35年）	93,419,000人	0.0172	2,012,058人
1970年（昭和45年）	103,720,000人	0.0188	1,949,936人
1980年（昭和55年）	117,060,000人	0.0136	1,592,018人
1990年（平成２年）	123,610,000人	0.0100	1,236,100人
2000年（平成12年）	126,920,000人	0.0095	1,205,740人
2010年（平成22年）	128,057,000人	0.0085	1,088,485人
2018年（平成30年）	128,443,000人	0.0074	950,478人

　この表の左端「年度」と右端「出生者数」を用いて「グラフ1．出生者
数の推移」を作成しました。

グラフ1 出生者数の推移

このグラフから、次のことが分かります。

1872年（明治5年）の出生者数は567,338人でした。この567,338人を1.00倍としますと、8年後の1880年（明治13年）のそれは883,241人で、これは、比率で言いますと、1.56倍になります。出生者数の増加傾向は、1950年（昭和25年）の2,337,920人まで続きます。この時の比率は4.12倍でした。しかし、出生者数の増加はこの年で終わり、以降は出生者数の減少が続きます。直近の出生者数である2018年（平成30年）のそれは950,478人（1.68倍）で、この人数が、「読売新聞が伝える2022年出生者数842,897人」に繋がるのです。

2022年3月27日の同紙朝刊は、少子化の原因に、「新型コロナウイルスの感染拡大が続く中、将来不安で妊娠を控える動きが拡大するなど、少子化が拡大している」と伝えています。しかし、出生者数の減少傾向は、次掲グラフによりますと、1950年に始まっていますので、この現象を「コロナ禍」で説明し切ることはできません。

出生者数の推移（単位：人）

年	倍率	出生者数
1872年（明治5年）	1.00倍	567,338
1880年（明治13年）	1.56倍	883,241
1890年（明治23年）	2.02倍	1,145,187
1900年（明治33年）	2.50倍	1,420,643
1910年（明治43年）	2.77倍	1,573,591
1920年（大正9年）	3.54倍	2,008,123
1930年（昭和5年）	3.68倍	2,088,180
1940年（昭和15年）	3.90倍	2,214,742
1950年（昭和25年）	4.12倍	2,337,920
1960年（昭和35年）	3.55倍	2,012,056
1970年（昭和45年）	3.44倍	1,949,936
1980年（昭和55年）	2.81倍	1,592,018
1990年（平成2年）	2.18倍	1,236,100
2000年（平成12年）	2.13倍	1,205,740
2010年（平成22年）	1.92倍	1,088,485
2018年（平成30年）	1.68倍	950,478

0　　　　　　1,250,000　　　　2,500,000

［出典：100年 18〜20頁］

2 総人口の減少

　現下の日本は、出生者数の減少傾向の中にあります。出生者が減少することは、総人口の減少にも繋がります。

　2022年（令和4年）4月16日の読売新聞朝刊は、「総人口64万4000人減」との見出しで「2021年10月1日時点の日本の総人口は、1億2550万2000人になった」と報じています。

　ここで、1872年から2020年までの人口の推移を『数字でみる日本の100年：矢野恒太記念会出版15頁〜17頁』に求め、また、2020年を超えて2110年までの人口推移の数値を「国立社会保障・人口問題研究所」の「日本の将来推計人口：（平成29年）」に求め、次掲の「グラフ2．総人口の推移」の様に10年間隔でグラフ化しました。なお、10年間隔から逸脱するのですが、2008年（平成20年）の総人口を入れておきました。これは、この年の総人口1億2808万4000人が、我が国で最多人口だったからです。

　わが国の総人口は、明治初頭である1872年（明治5年）には3408万6000人で、3500万人を割っていました。その後、総人口は増加し続け、2008年（平成20年）には1億2808万4000人になりました。この人数が最多人口で、以後は減少し続け、直近の2020年（令和2年）の総人口1億2406万4000人に至ります。この総人口は、最多人口から322万人減少しています。

　再述することになりますが、このグラフでは、2030年以降の人口も掲示しています。これらの年度は未だ経過していません。それに

もかかわらず提示しているのは、それらの数値を「国立社会保障・人口問題研究所」の「日本の将来推計人口：（平成29年）」に求めたからです。

「日本の将来推計人口」は、出生の状況を「出生高位」、「出生中位」、「出生低位」に３区分していますので、ここでは「出生中位」の数値に依拠してグラフを作成しました。

わが国の総人口は、2008年（平成20年）の最多人口１億2808万4000人を記録した後減少し続け、直近の2020年（令和２年）には１億2486万4000人に至りました。その後も総人口は減少し続けると予測されています。

約20年後である2040年の総人口１億953万3000人は、1970年（昭和45年）の総人口１億372万人にほぼ相当し、2080年（令和62年）の予測総人口7429万9000人は、1940年（昭和15年）の総人口7193万3000人に相当し、2110年（令和92年）の予測総人口5343万2000人は、1920年（大正９年）の総人口5547万3000人に相当します。

この様に見てきますと、わが国の総人口は、過去の総人口に回帰していく状況にあります。

日本の将来推計人口

ここで、「国立社会保障・人口問題研究所」の「日本の将来推計人口：（平成29年）」について、そこに掲示されている内容を次の様に要約して記します。

将来人口の推定：国立社会保障・人口問題研究所

①日本の将来推計人口は、全国の将来の出生、死亡、国際人口移動について仮定を設け、これらに基づいて我が国の将来の人口規模、並びに年齢構成等の人口構造について推計を行ったものである。

②推計の対象

推計の対象は、外国人をも含め、日本に常住する総人口とする。これは、国勢調査の対象と同一の定義である。

③推計の期間

推計の期間は、2015年（平成27年）年国勢調査を出発点として、2065年（令和47年）までとし、各年10月1日時点の人口について推計する。参考として2115年（令和97年）までの人口（各年10月1日時点）を計算して付した。

④推計結果の概要

日本の将来推計人口では、将来の出生推移・死亡推移について、それぞれ中位、高位、低位の3仮定を設け、それらの組み合わせにより9通りの推計を行っている。

グラフ2 総人口の推移

グラフ2によりますと、我が国の人口は1872年以降2008年まで増加し続けますが、2008年を境に減少傾向に入り、2020年（令和2年）から20年後の2040年には1億953万3000人、40年後の2060年（令和42年）には9122万1000人等々と、減少していきます。しかしこれは、既述の如く過去の人口に回帰していくに過ぎません。

総人口の推移（単位＝万人）

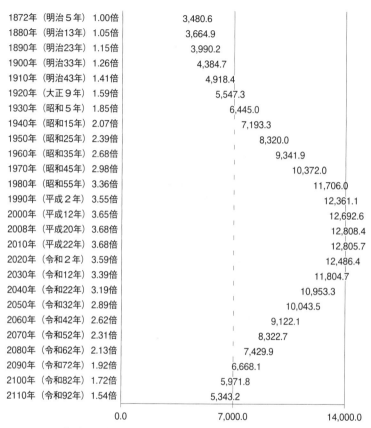

1872年 （明治 5 年）	1.00倍	3,480.6
1880年 （明治13年）	1.05倍	3,664.9
1890年 （明治23年）	1.15倍	3,990.2
1900年 （明治33年）	1.26倍	4,384.7
1910年 （明治43年）	1.41倍	4,918.4
1920年 （大正 9 年）	1.59倍	5,547.3
1930年 （昭和 5 年）	1.85倍	6,445.0
1940年 （昭和15年）	2.07倍	7,193.3
1950年 （昭和25年）	2.39倍	8,320.0
1960年 （昭和35年）	2.68倍	9,341.9
1970年 （昭和45年）	2.98倍	10,372.0
1980年 （昭和55年）	3.36倍	11,706.0
1990年 （平成 2 年）	3.55倍	12,361.1
2000年 （平成12年）	3.65倍	12,692.6
2008年 （平成20年）	3.68倍	12,808.4
2010年 （平成22年）	3.68倍	12,805.7
2020年 （令和 2 年）	3.59倍	12,486.4
2030年 （令和12年）	3.39倍	11,804.7
2040年 （令和22年）	3.19倍	10,953.3
2050年 （令和32年）	2.89倍	10,043.5
2060年 （令和42年）	2.62倍	9,122.1
2070年 （令和52年）	2.31倍	8,322.7
2080年 （令和62年）	2.13倍	7,429.9
2090年 （令和72年）	1.92倍	6,668.1
2100年 （令和82年）	1.72倍	5,971.8
2110年 （令和92年）	1.54倍	5,343.2

0.0　　　　　　　7,000.0　　　　　　14,000.0

［出典：100年 15～17頁、並びに「国立社会保障・人口問題研究所」の将来推計人口］

3　人口減少下では経済成長できない

　プラスの経済成長は、その年の国の総消費が前年度の総消費を超えることで達成されます。国の総消費は、個人の消費量に個人の人数を乗じた値を用いて計算することができます。

　今後、個人の消費量は増加するのでしょうか。かつて、ラジオしかない時代がありましたが、その後、テレビが普及するに至りました。テレビは、白黒テレビからカラーテレビへと発展しました。恐らく、テレビの普及は経済成長の要因になったでしょう。

　人々がマイカーを持つ様になりました。マイカーの普及も、経済成長の要因として作用したでしょう。

　今後、私達は、テレビやマイカーに代わる経済成長要因を、何に見出したら良いのでしょうか。

　将来の人口が減少することは分かっています。人口が減少してある時点の0.9になったとすれば、人口の減少をカバーすべく、消費量は1.1でなければなりません（0.9×1.1 = 0.99 ≒ 1.00）。

　人々は、持ち家あるいは借家にしろ、生活拠点を有しています。テレビもあれば、マイカーもあり、パソコンもあります。経済成長に繋がる新たな消費対象を、何に見出せば良いのでしょうか。

4　税収は減少する

　人口が減少することは、税収の減少に繋がります。国の施策は、

税収で得た資金を使いますので、人口が減少することは、国民のためになされる諸種の政策が資金に裏打ちされない可能性が高まることに至ります。

5　エマニュエル・トッド氏の日本に対する提言

5-1　エマニュエル・トッド著
『老人支配国家 日本の危機（文春新書）』

　この本を読んだ訳ではありません。2021年12月10日の読売新聞掲載広告には、次の様に記されていました。

①老人支配国家

　老人支配国家は、解釈として二様があると思います。「その１は、高齢でないと政治家として活躍できない」とするものです。

　「その２は、人口に占める高齢者の割合が高い」というものです。

　ここで、我が国の年齢構成の状況をグラフ３で示しました。

　2020年（令和２年）における10歳毎の年齢をグラフ化すると、次の様になります。

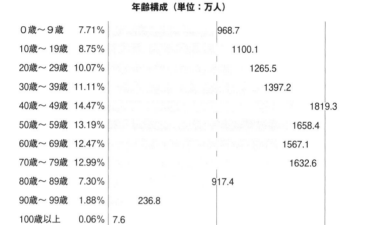

年齢構成（単位：万人）

０歳〜９歳	7.71%	968.7
10歳〜19歳	8.75%	1100.1
20歳〜29歳	10.07%	1265.5
30歳〜39歳	11.11%	1397.2
40歳〜49歳	14.47%	1819.3
50歳〜59歳	13.19%	1658.4
60歳〜69歳	12.47%	1567.1
70歳〜79歳	12.99%	1632.6
80歳〜89歳	7.30%	917.4
90歳〜99歳	1.88%	236.8
100歳以上	0.06%	7.6

［出典：日本 45頁］

　このグラフから、次の様に言うことができます。

①10年後には、100歳以上の人々、並びに90歳以上の人々は他界され、人口を構成しなくなるでしょう。

②20年後には、80歳以上の人々も相当数他界され、人口を構成しなくなるでしょう。

③30年後には、ここで言う０歳から79歳が人口を構成することでしょう。その時には、人口数は年代で大差なく、老人支配国家と

は言えなくなるのではないでしょうか。

5-1-1　トッド氏の移民受け入れ提言

　トッド氏は、「人口減こそ最大の危機。「日本人になりたい外国人」は受け入れよ」と提言しています。

　ここで、ヨーロッパにおける不法移民とアメリカにおける不法移民について見てみます。

5-1-2　EUに押し寄せる不法入国者（2002年10月31日）

　EU域内に流入するする不法移民は、去年1年間だけで50万人にものぼる。統一ヨーロッパを目指す政策から、国境での検問が廃止されたため、世界中の貧困地帯から人々が押し寄せてくる様になった。人権重視を掲げる以上、一斉排除もできないが、現状のままでは治安の悪化や闇経済の拡大が避けられないとして、EUはこの6月「非常事態」を宣言した。密航業者がつくる「難民申請マニュアル」に沿って、大型船や貨物トラックに乗り込み、入国する不法移民たち。政治的迫害から逃れてきたとして難民申請をし、生活保護を受けることで生活基盤を築いた後、姿を消して不法就労を始めるのだという。

5-1-3　カマラ・ハリス米副大統領
　　　　「不法移民はアメリカに来ないで」

　アメリカのカマラ・ハリス副大統領は、2021年6月7日に、遊説

先のグアテマラで、アレハンドロ・ジャマティ大統領との会談後に共同記者会見に臨み、グアテマラの移民希望者に対し、アメリカに不法入国しない様に求めた。アメリカに北上する道のりは危険なうえ、利益を得るのは密入国業者だと述べた。そして、不法入国しようとすれば、国境で追い返されることになると述べた。

なお、アメリカとメキシコの国境線の長さは3141km。札幌と長崎の直線距離は1514kmですから、この倍の距離がアメリカとメキシコの国境線の長さに相当します。

5-1-3 ドイツ帝国と化したEU

エマニエル・トッド氏は、「EUがドイツ帝国化した」と非難しています。私には、「EUがドイツ帝国化した」かどうかは分かりません。しかし、EUがロシアによるウクライナ侵攻に対し、EUに加盟する欧州諸国の盾になったのではないかと思います。

5-2 ゼムール氏の日本感

トッド氏の日本に対する提言広告が新聞に掲示されたのと前後して、2021年（令和３年）12月２日に、「仏大統領選　極右評論家 出馬表明　ゼムール氏　移民制限訴え」との見出しで、読売新聞は、ゼムール氏の大統領選立候補と同氏の来歴、主張を報じています。

ゼムール氏は「右派系の主要紙フィガロのコラムニストやテレビのコメンテーターをつとめた論客だ」とのことです。同氏は、「イスラム教徒の移民に厳しい視線を向けており、移民の増加でフラン

スの伝統や文化、言語、生活様式が消えてしまうと主張。移民政策は日本をモデルにすべきだと訴え、「低い失業率、貿易黒字、治安の良さ。私達に欠けているすべてが（日本には）ある」とツイッターに書き込んだこともあるのだそうです。

なお、同氏のフランス大統領選挙の結果は、得票数4位で、大統領に就任できませんでした。

ここで、同氏の主張を次の様に再掲しておきます。「移民の増加で、フランスの伝統や文化、言語、生活様式が消えてしまう」。

なお、次の点も記しておきたいと思います。フランスでは、人種別の人口統計は存在しないとのことです。その理由は、その様な統計が人種差別の根元になる可能性が強いからだそうです。そうではありますが、フランスでは、イスラム教徒や黒人に対する差別は、厳然として存在するのだそうです。

トッド氏は、フランスによるイスラム教徒や黒人の受け入れに対してどのような見解をお持ちなのでしょうか。「世界の知性」であるなら、傾聴すべきご意見をお持ちであるに違いないと思います。

6　外国人の受け入れ問題

6-1　外国人43％増 最多274万人に

2021年（令和3年）12月1日の日経新聞は、「総務省が30日に発表した2020年の国勢調査では、外国人の人口が過去最多の274万7137人となり、5年前の前回調査に比べ43.6％増と大きく拡大した。

日本人の人口は1億2339万8962人で、1.4％減少した。外国人の流入により、少子化による人口減少を一定程度緩和した」と伝えています。

6-2　外国人労働力674万人必要に

日経新聞2022年（令和4年）2月3日の朝刊は、「JICA推計、40年の成長目標達成には、外国人労働力674万人必要に」と伝えています。

「国際協力機構（JICA）などは2日までに、政府の目指す経済成長を2040年に達成するために必要な外国人労働者が現在の4倍近い674万人に上るとの推計ををまとめた」

6-3　移民なき時代へ人材争奪

2021年（令和3年）12月6日の日経新聞は、次の様に伝えています。

「世界で『移民』争奪の足音が聞こえ始めた。アラブ首長国連邦（UAE）が3月に発表したのは、外国企業にオンライン勤務する人々が対象のリモートワークビザ。稼ぐ移民は国内で良い消費者となり、将来は地元に根付いて国に貢献してもらえるかもしれない」

我が国の20年後である2040年の人口は、1億953万3000人に減少すると予測されています。この減少分を移民で補おうとすれば、1533万1000人が必要になります。この移民の人数は、総人口の12.27％になります。

　40年後である2060年の人口9122万1000人に対して、減少分を移民で補おうとすれば、移民は3364.3万人必要になります。この時の総人口に占める移民の割合は26.94％になります。

　60年後である2080年の人口は7429万9千人になります。この時の減少分5056.5万人を移民で補えば、総人口に占める移民の割合は40.49％になります。

　80年後である2100年の人口減少5971.8万人を移民6514.6万人で補えば、移民の総人口に占める割合は52.1％になります。

6-4　外国人も住民投票
6-4-1　「外国人も住民投票」波紋

　2021年（令和3年）11月29日の読売新聞は、次の様に伝えています。

　「東京都武蔵野市が市議会に提案している住民投票条例案が波紋を広げている。3か月以上市内に住む外国人にも投票を認める内容だからだ。市民自治をすすめるうえで、国籍にかかわらず一緒に地域の課題を考えたい」

　2020年1月10日時点で、武蔵野市の人口は14万6871人です。「14万人を超える人々が居住しながら、地域の問題を考えるのには十分でない」とは考えにくいと思います。

6-4-2　「外国人も住民投票」疑問

　21年12月9日の読売新聞「気流欄＝投書欄」に、外国人に住民投

票権を与えることを疑問とする内容が掲載されました。「武蔵野市が、日本人と外国人とを区別せず、18歳以上に投票権を与えることに、住民として疑問を感じる。市内に住む外国人からの要望があったのだろうか。なぜ、今なのか。条例案の提出は理解に苦しむ」

6-4-3 2021年12月14日：日経新聞

「外国人も住民投票権」武蔵野市市議会総務委員会、条例案可決。

6-4-4 2021年12月22日：日経新聞

「外国人に住民投票権の条例案」市議会否決。

6-4-5 21年12月22日付け読売新聞社説
###　　　　対立と混乱を招いた責任は重い

「武蔵野市の市議会本会議で、住民投票条例案が反対多数で否決された。……憲法は、参政権が日本国民に固有の権利だと明記している。最高裁は1995年（平成7年）、国政だけでなく地方選挙でも外国人に選挙権は保障されていないと判断した」

思うに、外国人が増えれば増える程、「日本人が外国人に投票権を与える」とするスタンスから、「憲法を変えてでも、外国人が投票権の獲得を主張するのは、外国人にとっての当然の権利」とする主張に変わるでしょう。外国人の増加は、外国人と日本人との間の力関係を転換させるに違いありません。それは、生活様式の変化を伴うでしょう。縄文時代以来、弥生時代以来、日本人が営々として

築いてきた日本人としての生活様式や文化は、ゼムール氏が言う様に失われるに違いありません。守られるべきは、「外国人の労働力」ではなく、「日本文化の継承」にあります。

6-4-6　日本人の減少は、日本の経済力を衰微させる

　経済活動は、国民によってなされます。それ故、国民の減少は、国全体としての経済力をそぎます。経済成長を優先させない経済のあり方を、日本人の叡智を結集して模索すべき時期に、今、到達しているのです。

　新しい仕組みに移行する場合には、「移行した結果得られる利点」と、「移行しないことによる利点」との間のせめぎ合いが発生します。ここで、近時、EUから離脱した英国の状況についての二つの新聞記事で思ったことを記します。

6-4-7　英国のEU離脱

　2021年（令和3年）12月30日の読売新聞朝刊は、「EU離脱1年　失望の英　通関復活　物流が混乱　人手不足競争力奪う」との見出しで、EUから離脱した英国の状況について伝えています。それによりますと、「これまでのところ、離脱推進派が描いたバラ色の未来は齎されず、混乱と失望が先行している」とのことです。

　また、2022年（令和4年）1月22日の読売新聞社説は「EU離脱1年　英国が払った代償は大きい」との見出しで、次の様に伝えています。その要点を箇条書きで記します。

①英国の欧州連合（EU）離脱が完了して1年が経過した。英国民は、モノとヒトの移動の自由を保証する単一市場から離れた代償の大きさを痛感しているのではないか。

②英国とEUは2021年1月から、自由貿易協定による新しい関係に入った。両者の貿易に関税はかからないが、通関手続きが企業のコスト増を招き、貿易は縮小傾向に入った。

③新たに導入した移民規制の政策で、EUからの低賃金労働者が減ったことは、国民に深刻な影響を引き起こしている。

④世論調査では、「離脱はうまくいっていない」との回答が約6割に達した。

⑤英政府は、離脱によって可能となった独自の政策を、長期的な成長に繋げられるかどうかが問われている。

私見1　移行しなかった場合は、「移行すべき」とする見解がくすぶり、移行した場合は、「移行しなかった方が良かった」とする見解がくすぶります。その原因は、移行による利点と不利点を国民が十分に理解していないことにあります。理解していれば、不利点による弊害も理解済みになっている筈です。

私見2　2014年9月、スコットランド独立を問う住民投票が実施され、44.7％対55.3％で否決されました。
　　　　スコットランドでは、長年にわたって、英連邦からの離脱の問題がくすぶっていました。「離脱しない」とのスコットランドによる意思決定は、いつの日かこの問題が蒸し返されることが

あるかもしれませんが、当面は、この決定が尊重されるでしょう。「離脱しない利点」が、スコットランド人をしてこの様な決定に至らさせたのでしょう。

グラフ4 外国人数の推移

　次のグラフは、外国人数の推移を示したものです。1960年（昭和35年）の外国人数605,586人を1.00としますと、2020年の外国人数2,885,904人は4.77で、4.77倍に増加しました。

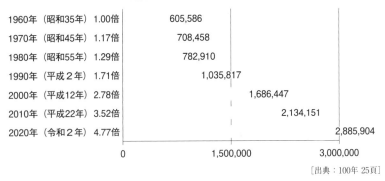

外国人数の推移（単位＝万人）

1960年（昭和35年）	1.00倍	605,586
1970年（昭和45年）	1.17倍	708,458
1980年（昭和55年）	1.29倍	782,910
1990年（平成2年）	1.71倍	1,035,817
2000年（平成12年）	2.78倍	1,686,447
2010年（平成22年）	3.52倍	2,134,151
2020年（令和2年）	4.77倍	2,885,904

0　　　　　　　1,500,000　　　　　　3,000,000

［出典：100年 25頁］

グラフ5 都道府県別外国人数

　2019年末時点での在留外国人の総数は2,929,769人で、47都道府県の平均は62,336人でした。

　わが国では、47の都道府県に北から南に番号が付されています。

　01.北海道、02.青森県、13.東京都、26.京都府、27.大阪府、40.福岡県、46.鹿児島県、47.沖縄県

　それ故都道府県のグラフを掲載する場合、「グラフ5．都道府県別外国人数」の様に、北から南へと配列していることがあります。

都道府県別在留外国人数（単位：人）

富山県	第23位	19,850
石川県	第28位	16,881
福井県	第29位	15,823
山梨県	第27位	17,179
長野県	第18位	38,446
岐阜県	第13位	60,206
静岡県	第8位	100,148
愛知県	第2位	281,153
三重県	第15位	56,590
滋賀県	第19位	33,929
京都府	第11位	64,972
大阪府	第3位	255,894
兵庫県	第7位	115,681
奈良県	第33位	13,951
和歌山県	第42位	7,169
鳥取県	第45位	5,042
島根県	第37位	9,342
岡山県	第20位	31,569
広島県	第14位	56,898
山口県	第26位	17,892
徳島県	第43位	6,592
香川県	第31位	14,226
愛媛県	第34位	13,540
高知県	第46位	4,967
福岡県	第9位	83,468
佐賀県	第41位	7,367
長崎県	第36位	10,995
熊本県	第25位	17,942
大分県	第32位	14,081
宮崎県	第40位	7,850
鹿児島県	第35位	12,215
沖縄県	第22位	21,220

```
0        200,000   400,000   600,000
```

［出典：県勢 135頁］

グラフ6 産業別外国人労働者数

　次掲のグラフは、2020年10月末日における産業別外国人1,724,328人の業種別就業の状況を示したものです。卸売業・小売業、飲食店、食品製造業など、人々の生活に直結する産業で働いている外国人が多い様です。

産業別外国人労働者数（単位：万人）

産業	割合	人数
卸売業・小売業	13.46%	232,014
飲食店	10.34%	178,326
食料品製造業	7.87%	135,740
職業紹介・労働者派遣業	7.83%	135,073
その他の製造業	7.04%	121,329
その他の事業サービス	6.62%	114,133
建設業	6.43%	110,898
輸送用機械器具	5.21%	89,790
教育・学習支援業	4.16%	71,775
情報通信業	4.13%	71,284
運輸業・郵便業	3.58%	61,680
学術研究	3.39%	58,435
金属製品業	2.68%	46,256
農業・林業	2.22%	38,208
繊維業	1.89%	32,543
電気機械器具	1.86%	32,042
福祉保険・社会福祉	1.73%	29,838
生活関連サービス業	1.42%	24,446
宿泊業	1.35%	23,246
生産用機械器具	1.33%	23,018
不動産・物品賃貸業	0.86%	14,761
医療業	0.78%	13,392
金融業・保険業	0.61%	10,571
公務	0.56%	9,639
複合サービス事業	0.31%	5,355
漁業	0.21%	3,630
自動車整備業	0.18%	3,083
飲料・たばこ業	0.07%	1,284
電気・ガス・水道業	0.03%	574
鉱業・採石業	0.02%	308
分類不能	0.32%	5,438
その他	1.52%	26,219

［出典：日本 76頁］

第 **2** 章

住宅問題

「衣食住」と言います。人が生存していくうえで最も大切な要件は、「食の確保」です。人は、食を欠けば生きていくことができません。人の生存のうえで、「食」に次いで大切な要件は、「住の確保」です。この章では、「グラフ７」から「グラフ16」を参考にしながら、わが国の住宅問題を考えます。

概略的に言えば、人口が増加している間は、住宅数も増加しますが、人口が減少し始めると、住宅は余剰になり、空き家が発生します。

住宅には持家と借家があります。そこで、「グラフ７．住宅数の推移」で、1968年から2018年に至る間の住宅数の推移を見ていきます。

また、「グラフ８．持家数の推移」で、1968年から2018年に至る間の持家数の推移を見ていきます。

さらに、「グラフ９．借家数の推移」で、1968年から2018年に至る間の借家数の推移を見ていきます。

既述の如く、わが国では、国土が47の都道府県に区分され、それらは北から南へと都道府県番号が付与されています。例えば、「北海道の番号は01」、「青森県の番号は02」、「東京都の番号は13」、「京都府の番号は26」、「大阪府の番号は27」、「鹿児島県の番号は46」、「沖縄県の番号は47」です。

そこで、次掲のグラフ10からグラフ14、並びにグラフ16の５つの

グラフは、都道府県の値の表示が上から下へと、つまり北から南へと配置され、同時に、その値が47都道府県の何番目の大きさであるかの順位を、都道府県名に続いて表示しています。

グラフ7 住宅数の推移

　我が国の場合、1963年には住宅が2109.0万戸ありました。住宅数は、55年が経過した2018年には6240.7万戸に増加しました。1963年の住宅数を1.00とすれば、2018年の住宅数は2.96で、2.96倍に増加しました。

住宅数の推移（単位：万戸）

年	倍率	戸数
1963年（昭和38年）	1.00	2,109.0
1968年（昭和43年）	1.21	2,559.1
1973年（昭和48年）	1.47	3,105.9
1978年（昭和53年）	1.68	3,545.1
1983年（昭和58年）	1.80	3,806.7
1988年（昭和63年）	1.99	4,200.7
1993年（平成5年）	2.18	4,587.9
1998年（平成10年）	2.38	5,024.6
2003年（平成15年）	2.56	5,389.1
2008年（平成20年）	2.73	5,758.6
2013年（平成25年）	2.87	6,062.9
2018年（平成30年）	2.96	6,240.7

0.0　　　　　　3,500.0　　　　　　7,000.0

[出典：100年 485頁]

グラフ8 持家数の推移

　住宅は、持ち家と借家に二分されます。そのうち、持ち家数は、1963年の1309.3万戸から2018年の3280.2万戸へと1970.9万戸増加しました。1963年の持家数1309.3万戸を1.00とすれば、2018年の3280.2万戸の値は2.51になります。つまり、55年間で持家数は2.51倍に増加しました。

持家数の推移（単位：万戸）

1963年（昭和38年）1.00	1,309.3	
1968年（昭和43年）1.11	1,459.4	
1973年（昭和48年）1.30	1,700.7	
1978年（昭和53年）1.48	1,942.8	
1983年（昭和58年）1.65	2,165.0	
1988年（昭和63年）1.75	2,294.8	
1993年（平成5年）1.86	2,437.5	
1998年（平成10年）2.02	2,646.8	
2003年（平成15年）2.19	2,866.6	
2008年（平成20年）2.32	3,031.6	
2013年（平成25年）2.46	3,216.5	
2018年（平成30年）2.51	3,280.2	

0.0　　　　　　1,700.0　　　　　　3,400.0

［出典：県勢 316頁］

グラフ9 借家数の推移

　借家数は、1963年から2018年まで55年間で、727.9万戸から1900.5万戸へと、1,172.6万戸増加しました。1963年の借家数727.9戸を1.00とすれば、2018年の1,900.5万戸の値は2.62になります。つまり、55年間で借家数は2.62倍に増加しました。

　55年間で持家数は2.51倍に増加したの対し、借家数は2.62倍に増加していますので、僅かではありますが、借家数の増加割合の方が大きい値を示しています。

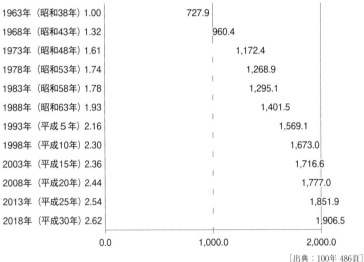

借家数の推移（単位：万戸）

1963年（昭和38年）1.00	727.9
1968年（昭和43年）1.32	960.4
1973年（昭和48年）1.61	1,172.4
1978年（昭和53年）1.74	1,268.9
1983年（昭和58年）1.78	1,295.1
1988年（昭和63年）1.93	1,401.5
1993年（平成5年）2.16	1,569.1
1998年（平成10年）2.30	1,673.0
2003年（平成15年）2.36	1,716.6
2008年（平成20年）2.44	1,777.0
2013年（平成25年）2.54	1,851.9
2018年（平成30年）2.62	1,906.5

0.0　　　　　　1,000.0　　　　　　2,000.0

［出典：100年 486頁］

グラフ10 都道府県別新設持家住宅着工数

　2019年における新設住宅着工の総数は883,702戸でした。また、47都道府県平均は18,802戸でした。

　着工数は、東京都などの人口集中都道府県が大きい値を示し、鳥取県や高知県の様な人口の少ない県が小さい値を示しています。

都道府県別新設借家住宅着工数（単位：戸）

北海道	第7位	11,821
青森県	第29位	3,764
岩手県	第27位	3,797
宮城県	第23位	5,062
秋田県	第41位	2,705
山形県	第39位	2,804
福島県	第22位	5,369
茨城県	第11位	9,149
栃木県	第14位	6,440
群馬県	第17位	6,169
埼玉県	第3位	14,877
千葉県	第5位	12,198
東京都	第2位	15,748
神奈川県	第4位	14,506
新潟県	第13位	6,749

0　　　　　13,000　　　　　26,000

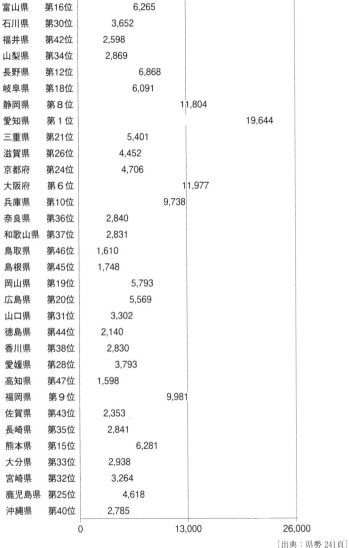

富山県	第16位	6,265
石川県	第30位	3,652
福井県	第42位	2,598
山梨県	第34位	2,869
長野県	第12位	6,868
岐阜県	第18位	6,091
静岡県	第8位	11,804
愛知県	第1位	19,644
三重県	第21位	5,401
滋賀県	第26位	4,452
京都府	第24位	4,706
大阪府	第6位	11,977
兵庫県	第10位	9,738
奈良県	第36位	2,840
和歌山県	第37位	2,831
鳥取県	第46位	1,610
島根県	第45位	1,748
岡山県	第19位	5,793
広島県	第20位	5,569
山口県	第31位	3,302
徳島県	第44位	2,140
香川県	第38位	2,830
愛媛県	第28位	3,793
高知県	第47位	1,598
福岡県	第9位	9,981
佐賀県	第43位	2,353
長崎県	第35位	2,841
熊本県	第15位	6,281
大分県	第33位	2,938
宮崎県	第32位	3,264
鹿児島県	第25位	4,618
沖縄県	第40位	2,785

0　　　　　　　　13,000　　　　　　　26,000

［出典：県勢 241頁］

都道府県別新設借家住宅着工数

　2019年における新設借家住宅着工総数は334,503戸で、47都道府県の平均着工数は7,117戸でした。

都道府県別新設借家住宅着工数（単位：戸）

北海道	第7位	15,625
青森県	第42位	1,372
岩手県	第22位	3,124
宮城県	第11位	6,975
秋田県	第44位	1,005
山形県	第37位	1,894
福島県	第21位	3,451
茨城県	第15位	5,093
栃木県	第24位	2,902
群馬県	第28位	2,710
埼玉県	第6位	15,818
千葉県	第8位	15,606
東京都	第1位	64,352
神奈川県	第3位	27,195
新潟県	第20位	3,603

0　　　　　　40,000　　　　　　80,000

富山県	第35位	2,041
石川県	第26位	2,775
福井県	第39位	1,653
山梨県	第46位	827
長野県	第18位	3,765
岐阜県	第25位	2,888
静岡県	第14位	6,084
愛知県	第4位	21,769
三重県	第19位	3,719
滋賀県	第31位	2,521
京都府	第16位	5,031
大阪府	第2位	30,328
兵庫県	第9位	10,287
奈良県	第40位	1,424
和歌山県	第43位	1,321
鳥取県	第47位	731
島根県	第36位	1,982
岡山県	第17位	4,185
広島県	第12位	6,728
山口県	第32位	2,308
徳島県	第41位	1,385
香川県	第38位	1,653
愛媛県	第27位	2,761
高知県	第45位	998
福岡県	第5位	16,884
佐賀県	第33位	2,228
長崎県	第29位	2,663
熊本県	第13位	6,374
大分県	第23位	3,091
宮崎県	第34位	2,205
鹿児島県	第30位	2,592
沖縄県	第10位	8,583

0　　　　40,000　　　　80,000

［出典：県勢 241頁］

都道府県別住宅数（単位：戸）

　2018年における47都道府県の住宅総数は6241.6万戸で、47都道府県の平均は132.8万戸でした。

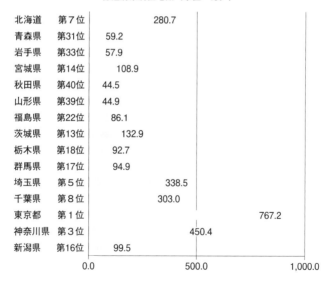

都道府県別住宅数（単位：万戸）

北海道	第7位	280.7
青森県	第31位	59.2
岩手県	第33位	57.9
宮城県	第14位	108.9
秋田県	第40位	44.5
山形県	第39位	44.9
福島県	第22位	86.1
茨城県	第13位	132.9
栃木県	第18位	92.7
群馬県	第17位	94.9
埼玉県	第5位	338.5
千葉県	第8位	303.0
東京都	第1位	767.2
神奈川県	第3位	450.4
新潟県	第16位	99.5

0.0　　　　　500.0　　　　1,000.0

富山県	第38位	45.8	
石川県	第35位	53.5	
福井県	第45位	32.5	
山梨県	第41位	42.2	
長野県	第15位	100.8	
岐阜県	第20位	89.4	
静岡県	第10位	171.5	
愛知県	第 4 位	348.2	
三重県	第23位	85.4	
滋賀県	第29位	62.5	
京都府	第12位	133.8	
大阪府	第 2 位	468.0	
兵庫県	第 8 位	268.1	
奈良県	第30位	61.8	
和歌山県	第37位	48.5	
鳥取県	第47位	25.7	
島根県	第46位	31.4	
岡山県	第19位	91.5	
広島県	第11位	143.1	
山口県	第25位	72.0	
徳島県	第43位	38.1	
香川県	第36位	48.8	
愛媛県	第26位	71.4	
高知県	第42位	39.2	
福岡県	第 9 位	258.1	
佐賀県	第44位	35.2	
長崎県	第27位	66.0	
熊本県	第24位	81.4	
大分県	第32位	58.2	
宮崎県	第34位	54.5	
鹿児島県	第21位	87.9	
沖縄県	第28位	65.8	

```
         0.0            500.0          1,000.0
```

［出典：県勢 316頁］

都道府県別持家の床面積

2019年における床面積の47都道府県平均は119.3m²で、この面積を坪に換算すれば36.1坪になります。持家の床面積では、北陸地方の富山県などが上位を占め、逆に、東京都や神奈川県の順位は低くなっています。

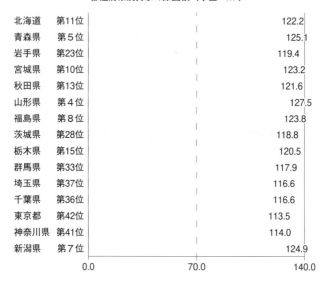

都道府県別持家の床面積（単位：m²）

北海道	第11位	122.2
青森県	第5位	125.1
岩手県	第23位	119.4
宮城県	第10位	123.2
秋田県	第13位	121.6
山形県	第4位	127.5
福島県	第8位	123.8
茨城県	第28位	118.8
栃木県	第15位	120.5
群馬県	第33位	117.9
埼玉県	第37位	116.6
千葉県	第36位	116.6
東京都	第42位	113.5
神奈川県	第41位	114.0
新潟県	第7位	124.9

0.0　　　　　　70.0　　　　　　140.0

富山県	第 1 位	131.7
石川県	第 3 位	127.9
福井県	第 2 位	131.1
山梨県	第27位	118.8
長野県	第13位	121.6
岐阜県	第12位	121.9
静岡県	第18位	119.9
愛知県	第 9 位	123.4
三重県	第17位	120.1
滋賀県	第15位	120.5
京都府	第38位	114.6
大阪府	第34位	117.7
兵庫県	第23位	119.4
奈良県	第20位	119.7
和歌山県	第28位	118.4
鳥取県	第21位	119.6
島根県	第30位	118.1
岡山県	第35位	116.8
広島県	第25位	119.1
山口県	第43位	112.8
徳島県	第30位	118.1
香川県	第26位	119.0
愛媛県	第40位	114.4
高知県	第44位	112.5
福岡県	第19位	119.8
佐賀県	第30位	118.1
長崎県	第30位	118.1
熊本県	第44位	112.5
大分県	第21位	119.6
宮崎県	第38位	114.8
鹿児島県	第47位	108.1
沖縄県	第46位	110.1

```
0.0              70.0             140.0
```

［出典：県勢 241頁］

グラフ14 都道府県別民営賃貸住宅の坪単価

　2019年における民営賃貸住宅の坪単価の平均は4215円でした。民営住宅の家賃は、人口集中地域である東京都等が高く、長崎県など人口がそれ程集中していない都道府県では安くなる傾向が見られます。

都道府県別民営賃貸住宅の坪単価（単位：円）

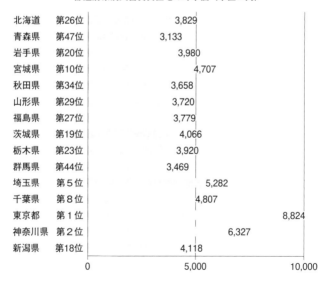

北海道	第26位	3,829
青森県	第47位	3,133
岩手県	第20位	3,980
宮城県	第10位	4,707
秋田県	第34位	3,658
山形県	第29位	3,720
福島県	第27位	3,779
茨城県	第19位	4,066
栃木県	第23位	3,920
群馬県	第44位	3,469
埼玉県	第5位	5,282
千葉県	第8位	4,807
東京都	第1位	8,824
神奈川県	第2位	6,327
新潟県	第18位	4,118

富山県	第36位	3,628
石川県	第24位	3,915
福井県	第46位	3,345
山梨県	第31位	3,682
長野県	第33位	3,665
岐阜県	第30位	3,718
静岡県	第7位	4,862
愛知県	第11位	4,706
三重県	第32位	3,669
滋賀県	第12位	4,685
京都府	第3位	5,999
大阪府	第4位	5,786
兵庫県	第6位	4,909
奈良県	第22位	3,926
和歌山県	第37位	3,620
鳥取県	第42位	3,571
島根県	第16位	4,268
岡山県	第25位	3,879
広島県	第14位	4,403
山口県	第39位	3,591
徳島県	第43位	3,479
香川県	第35位	3,648
愛媛県	第41位	3,585
高知県	第21位	3,956
福岡県	第13位	4,423
佐賀県	第41位	3,590
長崎県	第42位	4,735
熊本県	第43位	3,753
大分県	第44位	3,367
宮崎県	第38位	3,605
鹿児島県	第31位	4,170
沖縄県	第33位	4,370

0　　　　　5,000　　　　　10,000

［出典：県勢 308頁］

グラフ15 都道府県別空き家率

　2018年10月1日時点での都道府県別空き家率の47都道府県平均は15.0%でした。空き家率1位は山梨県の21.3%、2位は和歌山県の20.3%、3位は長野県の19.6%で、45位は東京都の10.6%、46位は沖縄県の10.4%、47位は埼玉県の10.2%でした。

都道府県別空き家率（単位：％）

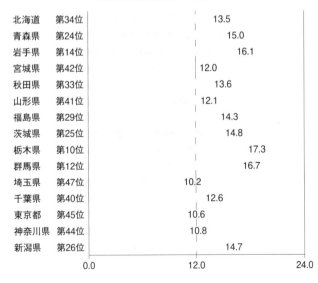

北海道	第34位	13.5
青森県	第24位	15.0
岩手県	第14位	16.1
宮城県	第42位	12.0
秋田県	第33位	13.6
山形県	第41位	12.1
福島県	第29位	14.3
茨城県	第25位	14.8
栃木県	第10位	17.3
群馬県	第12位	16.7
埼玉県	第47位	10.2
千葉県	第40位	12.6
東京都	第45位	10.6
神奈川県	第44位	10.8
新潟県	第26位	14.7

0.0　　　　12.0　　　　24.0

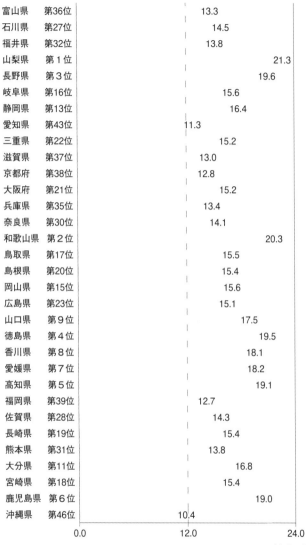

富山県	第36位	13.3
石川県	第27位	14.5
福井県	第32位	13.8
山梨県	第1位	21.3
長野県	第3位	19.6
岐阜県	第16位	15.6
静岡県	第13位	16.4
愛知県	第43位	11.3
三重県	第22位	15.2
滋賀県	第37位	13.0
京都府	第38位	12.8
大阪府	第21位	15.2
兵庫県	第35位	13.4
奈良県	第30位	14.1
和歌山県	第2位	20.3
鳥取県	第17位	15.5
島根県	第20位	15.4
岡山県	第15位	15.6
広島県	第23位	15.1
山口県	第9位	17.5
徳島県	第4位	19.5
香川県	第8位	18.1
愛媛県	第7位	18.2
高知県	第5位	19.1
福岡県	第39位	12.7
佐賀県	第28位	14.3
長崎県	第19位	15.4
熊本県	第31位	13.8
大分県	第11位	16.8
宮崎県	第18位	15.4
鹿児島県	第6位	19.0
沖縄県	第46位	10.4

0.0　　　　　12.0　　　　　24.0

［出典：県勢 316頁］

グラフ16 空き家数の推移■

　1963年の場合、空き家の総数は52.2万戸でした。直近の2018年の空き家の総数は848.9万戸ですから、1963年の16.26倍に達しています。遠からざる将来、空き家の総数は1000万戸に達するのではないでしょうか。

空き家数の推移（単位：万戸）

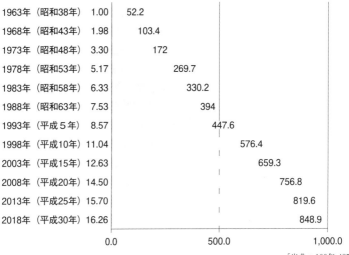

年	倍率	万戸
1963年（昭和38年）	1.00	52.2
1968年（昭和43年）	1.98	103.4
1973年（昭和48年）	3.30	172
1978年（昭和53年）	5.17	269.7
1983年（昭和58年）	6.33	330.2
1988年（昭和63年）	7.53	394
1993年（平成5年）	8.57	447.6
1998年（平成10年）	11.04	576.4
2003年（平成15年）	12.63	659.3
2008年（平成20年）	14.50	756.8
2013年（平成25年）	15.70	819.6
2018年（平成30年）	16.26	848.9

0.0　　　　　500.0　　　　　1,000.0

［出典：100年 485頁］

第 **3** 章

森林資源の自給問題

1　我が国の森林面積

　農林水産省によりますと、「日本の森林面積は2500万ha（＝25万km²）で、日本の国土面積37万km²の67％、3分の2が森林」です。

2　林業の変遷

　『日本の100年（189頁）』には、日本の林業の推移の推移の状況が記されていますので、その要点を引用します。

2-1　戦前の木材需要

　日本の林業は、戦前は薪炭材向けの供給が多かった。

2-2　戦中・戦後の木材需要

　1940年から1970年までの30年間は、第二次大戦中の軍需用や戦後の復興需要、高度経済成長期の大量需要と、木材供給が最も多く行われた時期であった。伐採する木が足りず、生育不十分な木も伐採したので、森林資源荒廃の一因となった。

2-3　木材輸入の自由化

　1950年代後半からは段階的に木材輸入の自由化が始まり、1964年には完全に自由化されたことにより、安価な外材が大量に国内に流入し、木材供給率は落ち込んでいく。1960年に80％だった供給率は、

1970には47％となり、2000年には20％を下回った。

2-4　木材価格の低迷による林業の不振

　輸入木材の流入により、国産材の価格は低迷し、採算性の低さから林業に従事する人は減っている。森林を維持するためには、間伐や林道の整備などが必要だが、それらは十分に行われていない。

2-5　人工林の増加と利用環境の非整備

　戦後の大規模な造林から50年以上が経過し、利用可能な人工林は増えているが、森林の整備が十分に行われていないことが利用を妨げている。

2-6　森林・林業再生プランの策定と木材自給率の改善

　政府は2009年に「森林・林業再生プラン」を策定するなど様々な林業活性化策を打ち出してきており、近年は国産材の生産量が増えてきた。木材の自給率は、37％まで回復している。

　この章では、森林資源の自給問題を扱います。
　グラフとして、グラフ17からグラフ24までが掲示されています。

グラフ17 林業従事者数の推移

　林業に従事している人の数は、1960年には43万9000人いましたが、55年が経過した2015年には6万4000人と、1960年の14.5%に減少しました。

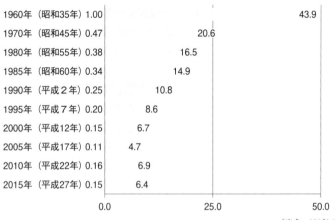

林業従事者数の推移（単位：万人）

年	比率	人数
1960年（昭和35年）	1.00	43.9
1970年（昭和45年）	0.47	20.6
1980年（昭和55年）	0.38	16.5
1985年（昭和60年）	0.34	14.9
1990年（平成2年）	0.25	10.8
1995年（平成7年）	0.20	8.6
2000年（平成12年）	0.15	6.7
2005年（平成17年）	0.11	4.7
2010年（平成22年）	0.16	6.9
2015年（平成27年）	0.15	6.4

0.0　　　　　　25.0　　　　　　50.0

［出典：100年 190頁］

グラフ18 国産材供給量の推移

　国産材の供給状況は、下掲のグラフによりますと、2005年まで減少し続けます。1965年のそれを1.00とした場合、2005年の供給量は1955年の29％に過ぎません。しかし、供給量はその後若干回復し、2018年のそれは2005年より19％回復して、1955年の48％に達しました。

国産材供給量の推移（単位：万m³）

		供給量
1955年（昭和30年）	1.00	6268.7
1960年（昭和35年）	1.02	6376.2
1965年（昭和40年）	0.90	5661.5
1970年（昭和45年）	0.79	4978.0
1975年（昭和50年）	0.59	3711.3
1980年（昭和55年）	0.59	3696.1
1985年（昭和60年）	0.56	3537.4
1990年（平成２年）	0.50	3129.7
1995年（平成７年）	0.39	2430.3
2000年（平成12年）	0.30	1905.8
2005年（平成17年）	0.29	1789.9
2010年（平成22年）	0.30	1892.3
2015年（平成27年）	0.40	2491.8
2018年（平成30年）	0.48	3020.1

0.0　　　　　　3,500.0　　　　　　7,000.0

［出典：100年 193頁］

グラフ19 国有林面積の都道府県別順位

　国有林の総面積は、71.72万km²で、その40.81％に当たる29.27万km²を北海道が占めています。北海道に次いで森林面積が多いのは青森県で、更に福島県が続きます。

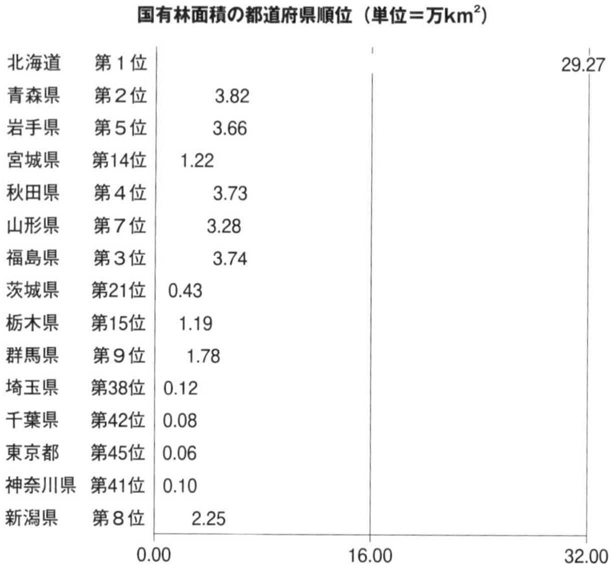

国有林面積の都道府県順位（単位＝万km²）

都道府県	順位	面積
北海道	第1位	29.27
青森県	第2位	3.82
岩手県	第5位	3.66
宮城県	第14位	1.22
秋田県	第4位	3.73
山形県	第7位	3.28
福島県	第3位	3.74
茨城県	第21位	0.43
栃木県	第15位	1.19
群馬県	第9位	1.78
埼玉県	第38位	0.12
千葉県	第42位	0.08
東京都	第45位	0.06
神奈川県	第41位	0.10
新潟県	第8位	2.25

0.00　　16.00　　32.00

富山県	第18位	0.61
石川県	第29位	0.26
福井県	第23位	0.37
山梨県	第46位	0.04
長野県	第6位	3.30
岐阜県	第11位	1.56
静岡県	第16位	0.85
愛知県	第39位	0.11
三重県	第32位	0.22
滋賀県	第33位	0.19
大阪府	第47位	0.01
京都府	第44位	0.07
兵庫県	第27位	0.30
奈良県	第37位	0.13
和歌山県	第35位	0.17
鳥取県	第27位	0.30
島根県	第25位	0.32
岡山県	第24位	0.37
広島県	第20位	0.47
山口県	第39位	0.11
徳島県	第34位	0.18
香川県	第43位	0.08
愛媛県	第22位	0.39
高知県	第13位	1.24
福岡県	第30位	0.25
佐賀県	第36位	0.15
長崎県	第31位	0.24
熊本県	第17位	0.63
大分県	第19位	0.50
宮崎県	第10位	1.75
鹿児島県	第12位	1.50
沖縄県	第25位	0.32

0.00　　　　16.00　　　　32.00

［出典：県勢 198頁］

民有林の総面積は175.22万km^{2}で、その14.89％にあたる26.10万km^{2}を北海道が占めています。2位は岩手県、3位は長野県です。

民有林面積の都道府県別順位（単位＝万km^2）

都道府県	順位	面積
北海道	第1位	26.10
青森県	第30位	2.47
岩手県	第2位	7.90
宮城県	第26位	2.88
秋田県	第11位	4.62
山形県	第23位	3.15
福島県	第6位	5.70
茨城県	第40位	1.42
栃木県	第33位	2.23
群馬県	第31位	2.30
埼玉県	第41位	1.09
千葉県	第39位	1.51
東京都	第46位	0.71
神奈川県	第43位	0.84
新潟県	第5位	5.80

0.00　　　　　15.00　　　　　30.00

富山県	第38位	1.80	
石川県	第29位	2.53	
福井県	第27位	2.73	
山梨県	第21位	3.43	
長野県	第3位		7.02
岐阜県	第4位		6.85
静岡県	第16位	4.10	
愛知県	第35位	2.07	
三重県	第19位	3.49	
滋賀県	第37位	1.84	
京都府	第22位	3.35	
大阪府	第47位	0.56	
兵庫県	第8位		5.32
奈良県	第28位	2.71	
和歌山県	第20位	3.44	
鳥取県	第32位	2.29	
島根県	第9位		4.94
岡山県	第12位		4.52
広島県	第7位		5.69
山口県	第14位		4.29
徳島県	第25位	2.96	
香川県	第45位	0.79	
愛媛県	第18位	3.62	
高知県	第10位		4.70
福岡県	第36位	1.97	
佐賀県	第42位	0.96	
長崎県	第34位	2.21	
熊本県	第24位	2.98	
大分県	第17位	4.04	
宮崎県	第15位	4.14	
鹿児島県	第13位		4.36
沖縄県	第44位	0.80	

```
0.00              15.00              30.00
```

［出典：県勢 198頁］

グラフ21 天然林蓄積量

　森林蓄積は、森林における立木の体積を言います。天然林の場合、広葉樹の森林蓄積は針葉樹の20倍強に相当します。

　広葉樹には、桜や欅（寺社建築に使われたりします）、椈（ぶな：ブナ科の落葉高木樹で、家具、スキー板、楽器の鍵盤などに使われたりします）などがあります。

　また、針葉樹には松や杉、檜などがあり、建築材として使われます。2017年の天然林蓄積量は次の通りです。

天然林森林蓄積量（単位：億km³）

天然針葉樹　1.00倍	0.69567	
天然広葉樹 20.81倍		14.47854
0.0000	8.0000	16.0000

［出典：日本 171頁］

グラフ22 人工林蓄積量

　人工林の場合、針葉樹の森林蓄積は広葉樹の46倍強に相当します。2017年の人工林蓄積量は次の通りです。

人工林森林蓄積量（単位：億km³）

人工針葉樹 46.56倍		32.38849
人工広葉樹　1.00倍	0.69567	
0.0000	20.0000	40.0000

［出典：日本 171頁］

グラフ23 森林蓄積の推移

　1966年の森林蓄積は18億8700万m³でしたが、41年が経過した2007年の森林蓄積は44億3200万m³と、2.35倍になりました。わが国で伐採可能な木材は増加傾向にあります。

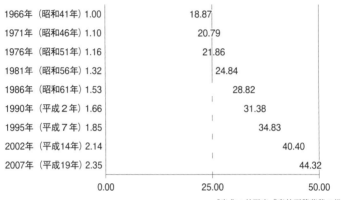

森林蓄積の推移（単位：億m³）

年	倍率	蓄積
1966年（昭和41年）	1.00	18.87
1971年（昭和46年）	1.10	20.79
1976年（昭和51年）	1.16	21.86
1981年（昭和56年）	1.32	24.84
1986年（昭和61年）	1.53	28.82
1990年（平成2年）	1.66	31.38
1995年（平成7年）	1.85	34.83
2002年（平成14年）	2.14	40.40
2007年（平成19年）	2.35	44.32

［出典：林野庁「森林面積蓄積の推移」］

1960年には、国産材が6,376.2万m³であるのに対し、輸入材は770.5万万m³で、輸入材の割合は国産材の12.08%に過ぎませんでした。しかし、年が経過するにつれ輸入材の割合が増加し、1970年には、輸入材の方が国産材の利用を上回りました。2005年には国産材が1789.9万m³で、この年が、国産材利用の最も少ない年になりました。その後、国産材の利用も増加しますが、2018年の場合、輸入材の割合が63.38%であるのに対し、国産材の割合は36.61%で、非常に簡単に言えば、輸入材2に対し国産材1の割合となっています。

なお、横棒の数値が国産材、年度に続く数値が輸入材を示しています。

国産材・輸入材供給量の推移（単位：万m³）

年	輸入材	国産材
1960年（昭和35年）	770.5	6,376.2
1965年（昭和40年）	2,018.2	5,661.5
1970年（昭和45年）	5,682.1	4,978.0
1980年（昭和55年）	7,525.0	3,696.1
1985年（昭和60年）	6,007.3	3,537.4
1990年（平成2年）	8,194.5	3,129.7
1995年（平成7年）	8,939.5	2,430.3
2000年（平成12年）	8,194.8	1,905.8
2005年（平成17年）	6,952.3	1,789.9
2010年（平成22年）	5,296.1	1,862.3
2015年（平成27年）	5,024.2	2,491.8
2018年（平成30年）	5,227.7	3,020.1

0.0　　　　3,500.0　　　　7,000.0

[出典：日本 171頁]

国産材の活用：その１

　2022年５月14日の日経新聞朝刊は、「国産材活用 東北けん引」との見出しで、次の様に伝えています。

①15年〜20年の公共施設の平均木造率で１位は秋田県で34.3％。岩手県、山形県、青森県が続き、東北が上位を占める。

②岩手県は、東日本大震災で被災した公共施設や災害公営住宅の整備に県産材を利用。３階建て以下の木造率は43.8％。全国平均（17.2％）を大きく上回る。

国産材の活用：その２

　2022年１月４日の読売新聞朝刊は、「国産材のみ　木造平屋」との見出しで、次の様に伝えています。

①三菱地所は、４月に、国産木材だけを使った平屋住宅を発売する。

②木材確保から販売までを一貫して手がけ、工期・費用を圧縮し、100m²で1000万円程度と、大手では異例の価格に設定した。

第 **4** 章

農産物の自給問題

この章では、農産物の自給問題を扱います。人の生存に食物は欠かせません。我が国の長い歴史の中で、食物は自給されてきました。戦後の高度成長期に、食物が輸入される様になりました。その一つの理由は人口の増加であり、他の理由の一つは、食物が外国産との価格競争に負け、国内産よりも安い価格の食物が輸入される様になったからです。その結果、食物生産者の生産意欲がそがれ、食物生産から撤退したことがあります。

　食物の輸入を控え、食物価格の上昇を招来させれば、食物生産者の生産意欲は高まります。将来の人口は減少すると予測されていますので、食物生産者の生産意欲を高めることができれば、食物の自給体制を確立させることができる筈です。

　その様な状況に立ち入ることを願いながら、グラフに依拠しつつ、食物としての農産物の自給状態を追っていきます。

グラフ25 食料自給率の推移

　1960年の食糧自給率79％を1.00とした場合、2018年の食糧自給率37％は0.47に相当します。

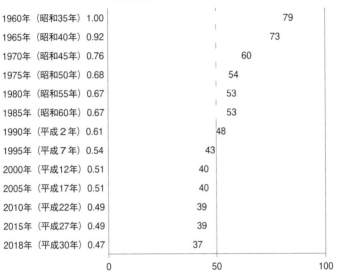

食料自給率の推移（単位：％）

1960年（昭和35年）1.00		79
1965年（昭和40年）0.92		73
1970年（昭和45年）0.76		60
1975年（昭和50年）0.68		54
1980年（昭和55年）0.67		53
1985年（昭和60年）0.67		53
1990年（平成2年）0.61		48
1995年（平成7年）0.54	43	
2000年（平成12年）0.51	40	
2005年（平成17年）0.51	40	
2010年（平成22年）0.49	39	
2015年（平成27年）0.49	39	
2018年（平成30年）0.47	37	

0　　　　　　　　50　　　　　　　　100

［出典：100年 181頁］

人口の推移

1960年の人口9341万人を1.00とした場合、2018年の人口１億2644万人は1.35に相当します。

人口の増加は、食料自給率低下の要因になります。

人口の推移（単位：億人）

1960年（昭和35年）1.00		0.9341
1965年（昭和40年）1.05		0.9837
1970年（昭和45年）1.11		1.0372
1975年（昭和50年）1.20		1.1194
1980年（昭和55年）1.25		1.1706
1985年（昭和60年）1.30		1.2104
1990年（平成２年）1.32		1.2361
1995年（平成７年）1.34		1.2557
2000年（平成12年）1.36		1.2692
2005年（平成17年）1.37		1.2776
2010年（平成22年）1.37		1.2805
2015年（平成27年）1.36		1.2709
2018年（平成30年）1.35		1.2644

0.0000　　　　　　　0.7000　　　　　　　1.4000

［出典：100年 150頁］

グラフ27 主な国の食料自給率

　2017年（平成29年）における主な国の食料自給率は次の通りです。

　食料自給率の高い国は、「耕作面積が広く、人口が少ない」という傾向がある」と思います。グラフ中の倍率は、日本を1としています。

主な国の食料自給率（単位：%）

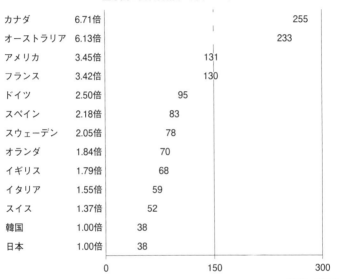

カナダ	6.71倍	255
オーストラリア	6.13倍	233
アメリカ	3.45倍	131
フランス	3.42倍	130
ドイツ	2.50倍	95
スペイン	2.18倍	83
スウェーデン	2.05倍	78
オランダ	1.84倍	70
イギリス	1.79倍	68
イタリア	1.55倍	59
スイス	1.37倍	52
韓国	1.00倍	38
日本	1.00倍	38

0　　　　　　　150　　　　　　　300

［出典：世界 211頁］

グラフ28 専業農家数の推移

　2005年から2018年に至る13年間で、専業農家の戸数は44.3万戸から37.5万戸へと6.8万戸減少しました。2005年の44.3万戸を1.00とすれば、2018年の37.5万戸は0.85に相当します。

専業農家数の推移（単位：万戸）

2005年（平成17年）1.00		44.3
2010年（平成22年）1.02		45.1
2015年（平成27年）1.00		44.3
2018年（平成30年）0.85	37.5	

0.0　　　　　　25.0　　　　　　50.0

[出典：100年 154頁]

グラフ29 兼業農家数の推移

　2005年から2018年に至る13年間で、兼業農家の戸数は152万戸から78万戸へと74万戸減少しました。2005年の152万戸を1.00とすれば、2018年の78万戸は0.57に相当します。専業農家より兼業農家の減少割合の方が大きくなっています。

兼業農家数の推移（単位：万戸）

2005年（平成17年）1.00		152.0
2010年（平成22年）0.78		118.0
2015年（平成27年）0.58	88.7	
2018年（平成30年）0.57	78.9	

0.0　　　　　　80.0　　　　　　160.0

[出典：100年 154頁]

　専業農家が6.8万戸減少し、兼業農家が74万戸減少し、両方を合わせて農家が80.5万戸減少しています。

グラフ30　農業就業人口の推移

　1960年の農業就業人口1326万9000人を1.00とした場合、2015年の農業就業人口200万4000人は、1960の0.15に過ぎません。農業就業人口は、55年間で1126万5000人減りました。

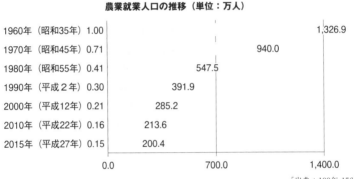

農業就業人口の推移（単位：万人）

1960年（昭和35年）1.00		1,326.9
1970年（昭和45年）0.71		940.0
1980年（昭和55年）0.41	547.5	
1990年（平成2年）0.30	391.9	
2000年（平成12年）0.21	285.2	
2010年（平成22年）0.16	213.6	
2015年（平成27年）0.15	200.4	
0.0	700.0	1,400.0

［出典：100年 156頁］

　兼業農家や兼業農家が廃業し、農業就業人口も大幅に減少しました。それは「耕作放棄農家」と「耕作放棄地」を発生させます。

グラフ31 耕作放棄農家戸数の推移

　耕作放棄農家の戸数は、1965年の39.8万戸から2015年の72.8万戸へと、33.0万戸増加しています。

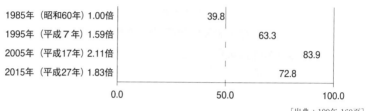

耕作放棄農家戸数の推移（単位：万戸）

1985年（昭和60年）1.00倍	39.8
1995年（平成７年）1.59倍	63.3
2005年（平成17年）2.11倍	83.9
2015年（平成27年）1.83倍	72.8

0.0　　　　　50.0　　　　　100.0

［出典：100年 160頁］

グラフ32 耕作放棄地面積の推移

　耕作放棄地面積は、1985年の0.53万km^{2}から2015年の2.18万km^{2}へと4.11倍に増加しました。

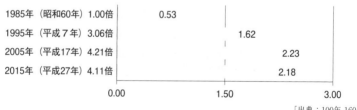

耕作放棄地面積の推移（単位：万km^2）

1985年（昭和60年）1.00倍	0.53
1995年（平成７年）3.06倍	1.62
2005年（平成17年）4.21倍	2.23
2015年（平成27年）4.11倍	2.18

0.00　　　　　1.50　　　　　3.00

［出典：100年 160頁］

　農林水産省によりますと、耕作放棄地の発生原因は、「①高齢化、労働力不足」が最も多く23％、次いで「②土地持ち非農家の増加」が16％、「③農産物価格の低迷」が15％です。

グラフ33 田の面積の推移

　田の面積は、1961年の33.88万km²から2019年の24.05万km²へと9.83万km²減少しました。その減少割合は、70.77%でした。

田の面積の推移 （単位：万km²）

1961年 （昭和36年）1.00	33.88
1965年 （昭和40年）1.00	33.91
1970年 （昭和45年）1.01	34.15
1975年 （昭和50年）0.94	31.71
1980年 （昭和55年）0.90	30.55
1985年 （昭和60年）0.87	29.52
1990年 （平成２年）0.84	28.46
1995年 （平成７年）0.81	27.45
2000年 （平成12年）0.78	26.41
2005年 （平成17年）0.75	25.56
2010年 （平成22年）0.74	24.96
2015年 （平成27年）0.72	24.46
2019年 （令和１年）0.71	24.05

0.00　　　　　　　20.00　　　　　　　40.00

［出典：100年 159頁］

田の面積の広い上位６都道府県

1位	北海道2219万km²	2位	新潟県1506万km	3位	秋田県1289万km²
4位	宮城県1044万km²	5位	福島県 986万km²	6位	茨城県 964万km²

（出典：県勢 179頁）

グラフ34 米の自給率の推移

米の自給率は、1960年から2018年までの年間平均自給率は100.46％ですから、米はほとんど自給できている状態にあると言えます。

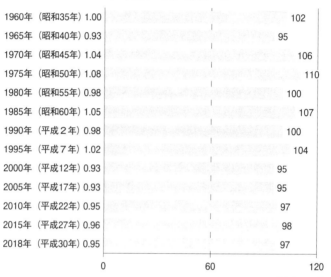

米の自給率の推移（単位：％）

年	自給率	値
1960年（昭和35年）	1.00	102
1965年（昭和40年）	0.93	95
1970年（昭和45年）	1.04	106
1975年（昭和50年）	1.08	110
1980年（昭和55年）	0.98	100
1985年（昭和60年）	1.05	107
1990年（平成２年）	0.98	100
1995年（平成７年）	1.02	104
2000年（平成12年）	0.93	95
2005年（平成17年）	0.93	95
2010年（平成22年）	0.95	97
2015年（平成27年）	0.96	98
2018年（平成30年）	0.95	97

［出典：100年 181頁］

米の産出額の多い上位６都道府県

1位	新潟県 1445億円	2位	北海道 1122億円	3位	秋田県 1036億円
4位	茨城県 868億円	5位	山形県 835億円	6位	宮城県 818億円

（出典：県勢 180頁）

グラフ35 畑の面積の推移

　畑の面積は、1961年の26.91万km²から2019年の20.04万km²へと減少し、74.47％になりました。田の面積がほとんど変わっていないのと顕著な違いをなしています。田の農産物が米に限定されるのに対し、畑では麦や野菜、果物などが生産されます。ですから、畑の面積の減少は、これらの農産物の生産に大きな影響を及ぼすものと思われます。

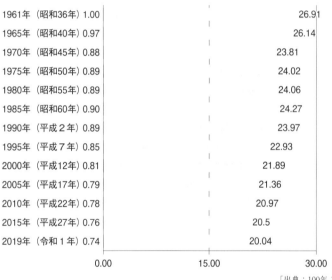

畑の面積の推移（単位：万km²）

年	指数	面積
1961年（昭和36年）	1.00	26.91
1965年（昭和40年）	0.97	26.14
1970年（昭和45年）	0.88	23.81
1975年（昭和50年）	0.89	24.02
1980年（昭和55年）	0.89	24.06
1985年（昭和60年）	0.90	24.27
1990年（平成2年）	0.89	23.97
1995年（平成7年）	0.85	22.93
2000年（平成12年）	0.81	21.89
2005年（平成17年）	0.79	21.36
2010年（平成22年）	0.78	20.97
2015年（平成27年）	0.76	20.5
2019年（令和1年）	0.74	20.04

［出典：100年 159頁］

畑の面積の広い上位6都道府県

1位	北海道 9218km²	2位	鹿児島 792km²	3位	青森県 709km²
4位	茨城県 682km²	5位	岩手県 557km²	6位	長野県 537km²

（出典：県勢 179頁）

小麦自給率の推移

　小麦の自給率は、1960年の39％を1.00とした場合、2018年の自給率12は0.31に低下しました。その原因は、外国産小麦との価格競争に負けたからだと恣意されます。

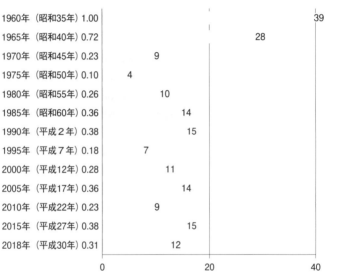

小麦の自給率の推移（単位：％）

1960年（昭和35年）1.00		39
1965年（昭和40年）0.72		28
1970年（昭和45年）0.23	9	
1975年（昭和50年）0.10	4	
1980年（昭和55年）0.26	10	
1985年（昭和60年）0.36	14	
1990年（平成２年）0.38	15	
1995年（平成７年）0.18	7	
2000年（平成12年）0.28	11	
2005年（平成17年）0.36	14	
2010年（平成22年）0.23	9	
2015年（平成27年）0.38	15	
2018年（平成30年）0.31	12	

　　　　0　　　　　　　20　　　　　　　40

［出典：100年 181頁］

麦類の収穫量の多い上位６都道府県

1位	北海道 68.57万t	2位	福岡県 9.69万t	3位	佐賀県 9.03万t
4位	栃木県 4.71万t	5位	群馬県 3.02万t	6位	埼玉県 2.59万t

（出典：県勢 186頁）

グラフ37 野菜の自給給率の推移

1960年から2018年に至る58年間の野菜の平均自給率は89.69％でした。

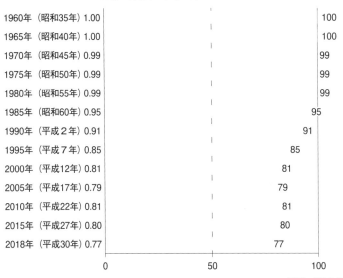

野菜の自給率の推移（単位：％）

1960年（昭和35年）1.00	100
1965年（昭和40年）1.00	100
1970年（昭和45年）0.99	99
1975年（昭和50年）0.99	99
1980年（昭和55年）0.99	99
1985年（昭和60年）0.95	95
1990年（平成２年）0.91	91
1995年（平成７年）0.85	85
2000年（平成12年）0.81	81
2005年（平成17年）0.79	79
2010年（平成22年）0.81	81
2015年（平成27年）0.80	80
2018年（平成30年）0.77	77

0　　　　　　　　50　　　　　　　　100

［出典：100年 181頁］

大豆自給率の推移

1960年から2018年に至る58年間の平均自給率は7.52%でした。

大豆の自給率の推移（単位：%）

年	値	棒グラフの数値
1960年（昭和35年）	1.00	28
1965年（昭和40年）	0.39	11
1970年（昭和45年）	0.39	11
1975年（昭和50年）	0.14	4
1980年（昭和55年）	0.14	4
1985年（昭和60年）	0.18	5
1990年（平成2年）	0.18	5
1995年（平成7年）	0.07	2
2000年（平成12年）	0.18	5
2005年（平成17年）	0.18	5
2010年（平成22年）	0.21	6
2015年（平成27年）	0.25	7
2018年（平成30年）	0.21	6

0   15   30

［出典：100年 181頁］

大豆の播種面積の広い上位6都道府県

1位	北海道 391km^2	2位	宮城県 110km^2	3位	秋田県 85.6km^2
4位	福岡県 82.5km^2	5位	佐賀県 78.2km^2	6位	滋賀県 66.9km^2

（出典：県勢 183頁）

野菜の収穫量の多い上位6都道府県

ジャガイモ

1位	北海道 189.0万t	2位	鹿児島県 9.5万t	3位	長崎県 9.09万t
4位	茨城県 4.83万t	5位	千葉県 2.95万t	6位	長野県 1.93万t

大根

1位	北海道 16.96万t	2位	鹿児島県 9.5万t	3位	長崎県 9.09万t
4位	茨城県 4.83万t	5位	千葉県 2.95万t	6位	長野県 1.93万t

にんじん

1位	北海道 19.47万t	2位	千葉県 9.36万t	3位	徳島県 5.14万t
4位	青森県 3.96万t	5位	長崎県 3.11万t	6位	茨城県 2.77万t

さといも

1位	埼玉県 1.84万	2位	千葉県 1.29万t	3位	宮崎県 1.20万t
4位	愛媛県 1.20万t	5位	栃木県 0.80万t	6位	鹿児島県 0.79万t

白菜

1位	長野県 23.25万t	2位	茨城県 22.77万t	3位	群馬県 2.97万t
4位	北海道 2.57万t	5位	埼玉県 2.31万t	6位	大分県 2.30万t

キャベツ

1位	群馬県 27.53万t	2位	愛知県 26.86万t	3位	千葉県 11.08万t
4位	茨城県 10.56万t	5位	鹿児島県 7.72万t	6位	長野県 7.04万t

ほうれんそう

1位	埼玉県 2.39万t	2位	群馬県 2.02万t	3位	千葉県 1.88万t
4位	茨城県 1.61万t	5位	鹿児島県 1.61万t	6位	岐阜県 1.15万t

ねぎ

1位	千葉県 6.43万t	2位	埼玉県 5.68万t	3位	茨城県 5.23万t
4位	群馬県 2.11万t	5位	北海道 2.05万t	6位	大分県 1.60万t

たまねぎ

1位	北海道 82.78万t	2位	佐賀県 13.81万t	3位	兵庫県 10.01万t
4位	長崎県 3.52万t	5位	愛知県 2.77万t	6位	熊本連 1.34万t

レタス

1位	長野県 19.78万t	2位	茨城県 8.64万t	3位	群馬県 5.15万t
4位	長崎県 3.60万t	5位	愛知県 2.77万t	6位	静岡県 2.47万t

きゅうり

1位	宮崎県 6.31万t	2位	群馬県 5.90万t	3位	埼玉県 4.56万t
4位	福島県 3.82万	5位	千葉県 2.91万t	6位	高知県 2.46万t

なす

1位	高知県 4.08万t	2位	熊本県 3.53万t	3位	群馬県 2.65万t
4位	福岡県 1.85万t	5位	茨城県 1.59万t	6位	愛知県 1.29万t

トマト

1位	熊本県 13.34万t	2位	北海道 6.10万t	3位	愛知県 4.39万t
4位	茨城県 4.34万t	5位	栃木県 3.47万t	6位	千葉県 2.61万t

ピーマン

1位	茨城県 3.39万t	2位	宮崎県 2.76万t	3位	高知県 1.38万t
4位	鹿児島県 1.29万t	5位	岩手県 0.79万t	6位	大分県 0.64万t

かぶ

1位	千葉県 3.04万t	2位	埼玉県 1.52万t	3位	青森県 0.71万t
4位	滋賀県 0.49万t	5位	京都府 0.49万t	6位	福岡県 0.42万t

かぼちゃ

1位	北海道 8.78万t	2位	鹿児島県 0.80万t	3位	茨城県 0.67万t
4位	長野県 0.55万t	5位	長崎県 0.55万t	6位	宮崎県 0.45万t

えだまめ

1位	群馬県 0.62万t	2位	千葉県 0.61万t	3位	千葉県 0.61万t
4位	埼玉県 0.57万t	5位	北海道 0.56万t	6位	秋田県 0.55万t

以下は5位までです。

ごぼう

1位	青森県 5.14万t	2位	茨城県 1.86万t	3位	北海道 1.24万t
4位	宮崎県 1.07万t	5位	群馬県 0.75万t		

れんこん

1位	茨城県 2.64万t	2位	佐賀県 0.58万t	3位	徳島県 0.52万t
4位	高知県 0.30万t	5位	山口県 0.24万t		

やまのいも

1位	北海道 7.45万t	2位	青森県 5.63万t	3位	長野県 0.57万t
4位	千葉県 0.65万t	5位	群馬県 0.54万t		

スィートコーン

1位	北海道 9.90万t	2位	北海道 9.90万t	3位	千葉県 1.59万t
4位	群馬県 1.19万t	5位	長野県 0.86万t		

ブロッコリー

1位	北海道 2.67万	**2位**	愛知県 1.57万t	**3位**	香川県 1.54万t
4位	埼玉県 1.52万t	**5位**	徳島県 1.19万t		

セロリ

1位	長野県 1.34万t	**2位**	静岡県 0.50万t	**3位**	福岡県 0.34万t
4位	愛知県 0.29万t	**5位**	香川県 0.09万t		

オクラ

1位	鹿児島県 0.48万t	**2位**	高知県 1.18万t	**3位**	沖縄県 1.31万t
4位	熊本県 0.07万t	**5位**	福岡県 0.05万t		

にがうり（ゴーヤー）

1位	沖縄県 0.73万t	**2位**	宮崎県 0.22万t	**3位**	鹿児島県 0.22万t
4位	群馬県 0.15万t	**5位**	熊本県 0.12万t		

とうがん

1位	沖縄県0.27万t	**2位**	愛知県 0.15万t	**3位**	神奈川県 0.12万t
4位	岡山県 0.10万t	**5位**	和歌山県 0.06万t		

らっきょう

1位	鳥取県 0.22万t	**2位**	鹿児島県 0.21万t	**3位**	宮崎県 0.14万t
4位	沖縄県 0.05万t	**5位**	徳島県 0.04万t		

クレソン

1位	山梨県 0.02万t	**2位**	栃木県 0.02万t	**3位**	沖縄県 0.05万
4位	静岡県 0.03万t	**5位**	大分県 0.03万t		

うど

1位	栃木県 0.07万t	2位	群馬県 0.04万t	3位	秋田県 0.0万t
4位	青森県 0.07万t	5位	埼玉県 0.04万t		

荒茶（茶農家が生産したままのお茶（荒茶の出典：日本61頁）

1位	静岡県 2.52万t	2位	鹿児島県 2.39万t	3位	三重県 0.50万t
4位	宮崎県 0.30万t	5位	京都府 0.20万t		

（出典：県勢 190～193頁）

生鮮野菜・果実の輸入量

　財務省「貿易統計」に基づき、2017年（平成29年）における生鮮野菜・果実の輸入量を多い順に記すと、次の様になります。

1位	タマネギ	291,054t	2位	かぼちゃ	96,058t
3位	にんじん	87,950t	4位	ごぼう	48,486t
5位	ピーマン	44,421t	6位	ジャガイモ	40,997t
7位	キャベツ	38,189t	8位	メロン	25,893t
9位	ブロッコリー	13,345t	10位	レタス	12,946t
11位	トマト	7,690t	12位	さといも	3,992t
13位	イチゴ	3,176t	14位	はくさい	2,562t

　思うに、これらの生鮮野菜を輸入しなければ、それらの価格は上がり、農家の野菜生産意欲を高めるでしょう。食物を摂取するのは、人間存在の最も基本をなす要件です。野菜を輸入しない措置を徐々に進展させなければならないと思います。

果実の自給率の推移

　1960年から2018年に至る58年間の果実の平均自給率は63.54%でした。ただ、直近の2018年における果実の自給率は38%で、40%を割り込んでいます。

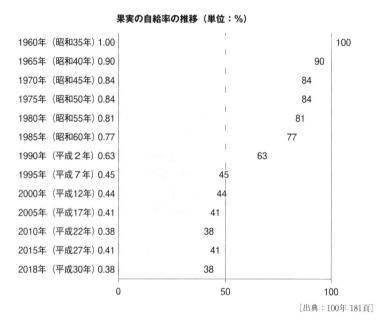

果実の自給率の推移（単位：%）

1960年（昭和35年）1.00		100
1965年（昭和40年）0.90		90
1970年（昭和45年）0.84		84
1975年（昭和50年）0.84		84
1980年（昭和55年）0.81		81
1985年（昭和60年）0.77		77
1990年（平成2年）0.63		63
1995年（平成7年）0.45	45	
2000年（平成12年）0.44	44	
2005年（平成17年）0.41	41	
2010年（平成22年）0.38	38	
2015年（平成27年）0.41	41	
2018年（平成30年）0.38	38	

0　　　　　　　50　　　　　　　100

［出典：100年 181頁］

　『県勢（188頁～189頁）』によりますと、各種果実の生産量の多い6都道府県は次の通りです。

みかん

1位	和歌山県 15.66万t	**2位**	愛媛県 12.54万t	**3位**	静岡県 8.59万t
4位	熊本県 8.07万t	**5位**	長崎県 5.40万t	**6位**	佐賀県 4.78万t

りんご

1位	青森県 40.98万t	**2位**	長野県 12.76万t	**3位**	岩手県 4.59万t
4位	山形県 4.05万t	**5位**	福島県 2.32万t	**6位**	秋田県 2.31万t

日本なし

1位	茨城県 2.00万t	**2位**	千葉県 1.93万t	**3位**	栃木県 1.81万t
4位	福島県 1.60万t	**5位**	鳥取県 1.47万t	**6位**	長野県 1.28万t

かき

1位	和歌山県 4.34万t	**2位**	奈良県 3.13万t	**3位**	福岡県 1.66万t
4位	岐阜県 1.43万t	**5位**	愛知県 1.05万t	**6位**	新潟県 1.02万t

ぶどう

1位	山梨県 3.69万t	**2位**	長野県 3.17万t	**3位**	山形県 1.64万t
4位	岡山県 1.58万t	**5位**	福岡県 0.76万t	**6位**	北海道 0.69万t

もも

1位	山梨県 3.07万t	**2位**	福島県 2.70万t	**3位**	長野県 1.20万t
4位	山形県 0.93万t	**5位**	和歌山県 0.70万t	**6位**	岡山県 0.63万t

キウイフルーツ

1位	愛媛県 0.60万t	**2位**	福岡県 0.52万t	**3位**	和歌山県 0.30万t
4位	神奈川県 0.14万t	**5位**	静岡県 0.09万t	**6位**	山梨県 0.08万t

くり

1位	茨城県 0.30万t	2位	熊本県 0.28万t	3位	愛媛県 0.13万t
4位	岐阜県 0.07万t	5位	宮崎県 0.05万t	6位	埼玉県 0.05万t

びわ

1位	長崎県 0.11万t	2位	千葉県 0.05万t	3位	鹿児島県 0.02万t
4位	香川県 0.02万t	5位	愛媛県 0.02万t	6位	兵庫県 0.18万t

すもも

1位	山梨県 0.54万t	2位	長野県 0.27万t	3位	和歌山県 0.20万t
4位	山形県 0.18万t	5位	青森県 0.09万t	6位	北海道 0.08万t

うめ

1位	和歌山県 5.75万t	2位	群馬県 0.42万t	3位	三重県 0.16万t
4位	宮城県 0.13万t	5位	神奈川県 0.03万t	6位	奈良県 0.12万t

西洋なし

1位	山形県 1.89万t	2位	新潟県 0.21万t	3位	青森県 0.19万t
4位	長野県 0.14万t	5位	福島県 0.06万t		

いちご（出典：日本160頁）

1位	栃木県 2.54万t	2位	福岡県 1.67万t	3位	熊本県 1.25万t
4位	長崎県 1.11万t	5位	静岡県 1.06万t		

グラフ40 花卉（かき）の生産

2019年における花卉の生産では、「きく」が圧倒的に多く生産されています。

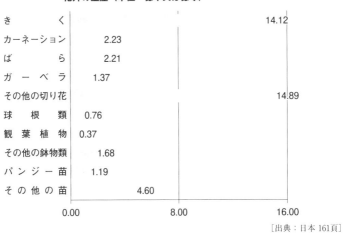

花卉の生産（単位：億本又は億球）

き　　　く	14.12
カーネーション	2.23
ば　　　ら	2.21
ガ ー ベ ラ	1.37
その他の切り花	14.89
球　根　類	0.76
観 葉 植 物	0.37
その他の鉢物類	1.68
パ ン ジ ー 苗	1.19
そ の 他 の 苗	4.60

0.00　　　　8.00　　　　16.00

［出典：日本 161頁］

各種花卉の生産状況は次の通りです。

きく

1位	愛知県 4億7330万本	2位	沖縄県 2億5260万本	3位	福岡県 8890万本
4位	鹿児島県 7990万本	5位	長崎県 5680万本		

カーネーション

1位	長野県 4700万本	2位	愛知県 4520万本	3位	北海道 1990万本
4位	兵庫県 1940万本	5位	千葉県 1800万本		

ばら

1位	愛知県 3890万本	2位	静岡県 2000万本	3位	山形県 1620万本
4位	福岡県 1510万本	5位	愛媛県 1270万本		

りんどう

1位	岩手県 4840万本	2位	秋田県 1280万本	3位	山形県 715万本
4位	福島県 520万本	5位	長野県 292万本		

洋ラン類

1位	福岡県 227万本	2位	徳島県 211万本	3位	沖縄県 150万本
4位	埼玉県 12万本	5位	静岡県 113万本		

スターチス

1位	和歌山県 6490万本	2位	北海道 3190万本	3位	長野県 810万本
4位	千葉県 328万本	5位	熊本県 115万本		

ガーベラ

1位	静岡県 5630万本	2位	福岡県 1900万本	3位	和歌山県 1240万本
4位	愛知県 1010万本	5位	長崎県 743万本		

球根類

1位	鹿児島県 1670万球	2位	富山県 1440万球	3位	新潟県 1420万球
4位	愛知県 659万球	5位	宮崎県 611万球		

観葉植物

1位	愛知県 1840万鉢	2位	静岡県 488万鉢	3位	岐阜県 232万鉢
4位	三重県 226万鉢	5位	鹿児島県 149万鉢		

（出典：県勢 194頁）

第 5 章

畜産物の自給問題

ここで食料自給問題としての「畜産物の自給問題」について考えます。

　畜肉には、牛肉と牛乳、豚肉、鶏による鶏肉と鶏卵があります。これらについて、次掲のグラフ41からグラフ54を参照しながら考えていきます。これらのグラフのうち、グラフ41は肉類の自給率全体を扱い、グラフ42からグラフ47までは畜産としての「牛」を、グラフ48からグラフ50までは、畜産としての「豚」を、グラフ51からグラフ54までは、畜産としての「鶏」を対象としています。

グラフ41 肉類の自給率の推移

　肉類には牛肉、豚肉、鶏肉があります。それらを一括した肉類の自給率は、1960年には93％でしたから、かなり高い自給率の値となっています。しかし、1960年から58年が経過した2018年には51％に低下しました。

　低下した理由には二つあると思います。その1は、人口が増加したことです。その2は、肉類の消費量が増加したことです。

　なお、1960年から2018年に至る13の基準年の間の自給率の平均は、69.5％でした。

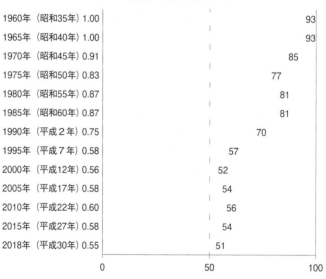

肉類の自給率の推移（単位：％）

1960年（昭和35年）	1.00	93
1965年（昭和40年）	1.00	93
1970年（昭和45年）	0.91	85
1975年（昭和50年）	0.83	77
1980年（昭和55年）	0.87	81
1985年（昭和60年）	0.87	81
1990年（平成2年）	0.75	70
1995年（平成7年）	0.58	57
2000年（平成12年）	0.56	52
2005年（平成17年）	0.58	54
2010年（平成22年）	0.60	56
2015年（平成27年）	0.58	54
2018年（平成30年）	0.55	51

［出典：100年 181頁］

グラフ42 肉用牛飼育頭数の推移

　肉用牛の飼育頭数は、13の基準年平均は244.2万頭ですから、ほとんど変わっていないと言うことができます。ただ、肉用牛を飼育している農家の数は、1960年の203.1万戸から2018年の4.8万戸に減少しました。2018年の飼育農家戸数は1960年の2.36％に過ぎません。飼育農家戸数の減少は、飼育している人の老齢化による廃業と、他方で、一飼育農家当たりの飼育頭数の増加による飼育の効率化が考えられると思います。

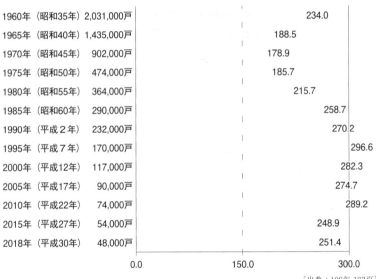

肉用牛飼育頭数の推移（単位：万頭）

1960年（昭和35年）2,031,000戸	234.0
1965年（昭和40年）1,435,000戸	188.5
1970年（昭和45年）902,000戸	178.9
1975年（昭和50年）474,000戸	185.7
1980年（昭和55年）364,000戸	215.7
1985年（昭和60年）290,000戸	258.7
1990年（平成２年）232,000戸	270.2
1995年（平成７年）170,000戸	296.6
2000年（平成12年）117,000戸	282.3
2005年（平成17年）90,000戸	274.7
2010年（平成22年）74,000戸	289.2
2015年（平成27年）54,000戸	248.9
2018年（平成30年）48,000戸	251.4

0.0　　　　　　　150.0　　　　　　　300.0

[出典：100年 183頁]

グラフ43 60万tの牛肉の輸入先

2020年の場合、オーストラリアとアメリカから51.78万tの牛肉を輸入しました。両国からの輸入は、全牛肉輸入量の86.3%を占めています。

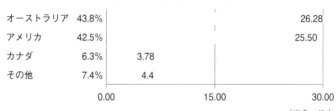

60万tの牛肉の輸入先（単位：万t）

オーストラリア	43.8%		26.28
アメリカ	42.5%		25.50
カナダ	6.3%	3.78	
その他	7.4%	4.4	

0.00　　　　　　15.00　　　　　　30.00

［出典：日本 167頁］

グラフ44 牛肉の枝肉生産量の都道府県別順位

　枝肉は、頭や骨、皮を除いた肉だけの状態を言います。2019年の枝肉の総生産量は47万918tで、47都道府県平均は1万20tでした。生産量で1位の北海道は、19.5%を占めています。

牛肉の枝肉生産量の都道府県別順位（単位：t）

都道府県	順位	生産量
北海道	第1位	91,923
青森県	第11位	10,347
岩手県	第21位	7,204
宮城県	第13位	8,699
秋田県	第35位	2,084
山形県	第15位	8,325
福島県	第39位	1,534
茨城県	第10位	14,692
栃木県	第27位	3,625
群馬県	第20位	7,515
埼玉県	第8位	15,349
千葉県	第12位	9,692
東京都	第3位	41,674
神奈川県	第22位	6,057
新潟県	第44位	945

富山県	第45位	628	
石川県	第34位	2,457	
福井県	第47位	0	
山梨県	第37位	1,840	
長野県	第28位	3,619	
岐阜県	第19位	7,610	
静岡県	第25位	4,177	
愛知県	第14位	8,422	
三重県	第24位	4,617	
滋賀県	第26位	3,887	
京都府	第23位	5,310	
大阪府	第9位	14,797	
兵庫県	第4位	26,241	
奈良県	第42位	1,141	
和歌山県	第46位	203	
鳥取県	第33位	2,507	
島根県	第38位	1,622	
岡山県	第29位	3,142	
広島県	第17位	8,168	
山口県	第43位	1,131	
徳島県	第31位	2,739	
香川県	第18位	7,878	
愛媛県	第41位	1,277	
高知県	第40位	1,483	
福岡県	第6位	23,044	
佐賀県	第32位	2,549	
長崎県	第16位	8,318	
熊本県	第7位	16,354	
大分県	第30位	2,862	
宮崎県	第5位	23,404	
鹿児島県	第2位	47,928	
沖縄県	第36位	1,933	
		0　　　　　50,000　　　　　100,000	

［出典：県勢197頁］

グラフ45 牛乳・乳製品の自給率の推移

　牛乳・乳製品の自給率は、1960年には89%でしたが、58年が経過した2018年のそれは、59%に低下しました。自給率低下の理由は、人口の増加と消費量の増加があるものと思います。なお、13の基準年の平均は75.8%でした。

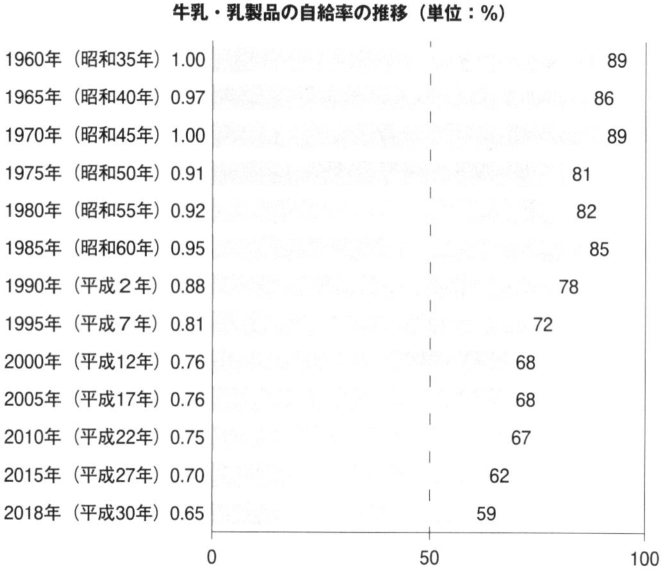

牛乳・乳製品の自給率の推移（単位：%）

年	指数	自給率
1960年（昭和35年）	1.00	89
1965年（昭和40年）	0.97	86
1970年（昭和45年）	1.00	89
1975年（昭和50年）	0.91	81
1980年（昭和55年）	0.92	82
1985年（昭和60年）	0.95	85
1990年（平成2年）	0.88	78
1995年（平成7年）	0.81	72
2000年（平成12年）	0.76	68
2005年（平成17年）	0.76	68
2010年（平成22年）	0.75	67
2015年（平成27年）	0.70	62
2018年（平成30年）	0.65	59

0　　　　　　　　50　　　　　　　　100

［出典：100年 181頁］

グラフ46 乳用牛飼育頭数の推移

　乳用牛の飼育頭数は、1960年には82万4000頭でした。その後、1985年には211万1000頭まで増加しましたが、以降は減少し続け、2018年には132万8000頭まで減少しました。それにしましても、2018年の132万8000頭は、1960年の82.4万頭の1.61倍に達しています。

　1960年の飼育農家は410,000戸でしたから、1飼育農家の飼育頭数は2.00頭であったのに対し、2018年のそれは83頭になりますので、1飼育農家の飼育頭数は増加しています。

乳用牛飼育頭数の推移（単位：万頭）

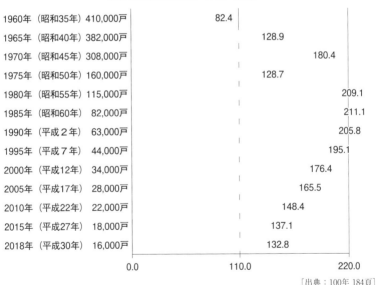

［出典：100年 184頁］

生乳生産量の都道府県別順位

　2019年の場合、生乳の総生産量は731万3831tで、47都道府県の平均は15万5613tでした。総生産量の55.3%に当たる404万8197tが北海道で生産されました。牛乳は、体に良い筈です。なぜなら、子牛は母乳で育つのですから。

生乳生産量の都道府県別順位（単位＝万t）

北海道	第1位	404.8197
青森県	第17位	7.1555
岩手県	第4位	21.1951
宮城県	第9位	11.0199
秋田県	第34位	2.3719
山形県	第21位	6.3356
福島県	第19位	6.7861
茨城県	第7位	17.2438
栃木県	第2位	33.0598
群馬県	第5位	20.7902
埼玉県	第24位	4.8493
千葉県	第6位	19.2495
東京都	第45位	0.8866
神奈川県	第30位	3.0947
新潟県	第27位	4.034

　0.0000　　　　　250.0000　　　　　500.0000

富山県	第43位	1.0898
石川県	第38位	1.8715
福井県	第46位	0.5394
山梨県	第40位	1.6676
長野県	第11位	9.0452
岐阜県	第29位	3.286
静岡県	第12位	8.9359
愛知県	第8位	16.0406
三重県	第23位	5.7213
滋賀県	第39位	1.6982
京都府	第33位	2.6767
大阪府	第44位	0.9498
兵庫県	第14位	7.8054
奈良県	第36位	2.2717
和歌山県	第47位	0.4802
鳥取県	第22位	5.9245
島根県	第20位	6.6492
岡山県	第10位	10.3211
広島県	第25位	4.827
山口県	第41位	1.5981
徳島県	第32位	2.7077
香川県	第28位	3.5441
愛媛県	第31位	3.0648
高知県	第37位	1.9971
福岡県	第16位	7.6013
佐賀県	第42位	1.4336
長崎県	第26位	4.5798
熊本県	第3位	25.2941
大分県	第18位	6.9094
宮崎県	第15位	7.7542
鹿児島県	第13位	7.8881
沖縄県	第35位	2.318

```
0.0000          250.0000          500.0000
```

[出典：県勢 197頁]

グラフ48 豚の飼育頭数の推移

　豚の飼育頭数は、1960年の191万8000頭から1990年には1181万7000頭に増加しました。増加割合は6.16です。豚の飼育頭数は1990年の1181万7000頭を最多に、その後は2018年の918万9000頭に減少しました。その減少割合は77.76%でした。

　他方で豚の飼育農家は1980年には79万9000戸ありましたが、飼育農家は減少し続け、2018年の飼育農家4000戸は、1980年の飼育農家79万9000戸の0.5%に過ぎません。1960年の飼育農家は一戸あたり僅か2.4頭を飼育していましたが、2018年には、飼育農家一戸当たりの飼育頭数は2297頭ですから、約1000倍（≒957倍）の豚を飼育していることになります。

豚の飼育頭数の推移（単位：万頭）

1960年（昭和35年）	799,000戸	191.8
1965年（昭和40年）	720,000戸	397.5
1970年（昭和45年）	445,000戸	633.5
1975年（昭和50年）	223,000戸	768.4
1980年（昭和55年）	141,000戸	999.8
1985年（昭和60年）	83,000戸	1071.8
1990年（平成2年）	43,000戸	1181.7
1995年（平成7年）	19,000戸	1025
2000年（平成12年）	12,000戸	980.5
2005年（平成17年）	9,000戸	972.4
2010年（平成22年）	7,000戸	989.9
2015年（平成27年）	5,000戸	953.7
2018年（平成30年）	4,000戸	918.9

0.0　　　　　700.0　　　　　1,400.0

［出典：100年 183頁］

グラフ49 89万tの豚肉の輸入先

　2020年における豚肉の輸入先で、25.37万tを輸入しているアメリカと、23.32万tを輸入しているカナダとで、54.7%を輸入しています。

89万tの豚肉の輸入先（単位：万t）

アメリカ 28.5%	25.37
カナダ 26.2%	23.32
スペイン 11.6%	10.32
その他 33.7%	29.99

0.00　　　　　15.00　　　　　30.00

［出典：日本167頁］

　2022年1月4日の読売新聞「スキャナー」は、「AI・ロボが農畜産効率化」との見出しで、農業や畜産の効率化について伝えています。その内容を次に箇条書きで示します。

①アグリテック＝農業（アグリカルチャー）と技術（テクノロジー）による造語で、先端技術で生産効率を向上させる試み。対象は畜産業や林業など。

②畜産に対する試み：鹿児島県にある豚舎（エコポーク）。カメラが天上のレールに沿って自走し、豚を一匹ずつ撮影して回る。撮影は光学カメラと赤外線カメラを同時に使う。AIで分析し、豚の体重や肉質を測定する。細かな特徴や挙動から心拍数をはじめ体調に異常がないかも管理できる。国内の養豚業は1戸当たり平均2400頭飼育しており、世話に膨大な手間がかかる。

③年間約100万頭が出荷前に病気などで死ぬ。

感想：この様な管理が可能になれば、養豚の生産効率は上がり、
　　　その分だけ輸入量を削減することができると思われます。

グラフ50 豚肉の枝肉生産量の都道府県別順位

　2019年における豚の枝肉総生産量は127万8895tで、47都道府県の平均は2万7210.3tでした。最多生産都道府県は鹿児島県で、2位は茨城県、北海道は3位でした。

豚肉の枝肉生産量の都道府県別順位（単位：t）

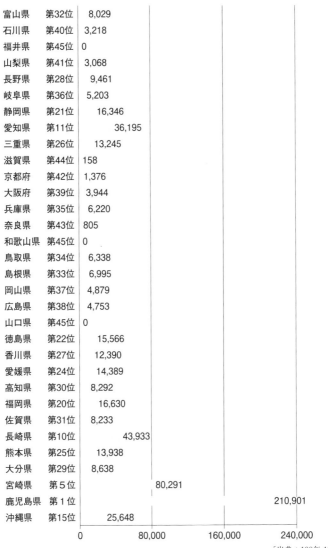

富山県	第32位	8,029
石川県	第40位	3,218
福井県	第45位	0
山梨県	第41位	3,068
長野県	第28位	9,461
岐阜県	第36位	5,203
静岡県	第21位	16,346
愛知県	第11位	36,195
三重県	第26位	13,245
滋賀県	第44位	158
京都府	第42位	1,376
大阪府	第39位	3,944
兵庫県	第35位	6,220
奈良県	第43位	805
和歌山県	第45位	0
鳥取県	第34位	6,338
島根県	第33位	6,995
岡山県	第37位	4,879
広島県	第38位	4,753
山口県	第45位	0
徳島県	第22位	15,566
香川県	第27位	12,390
愛媛県	第24位	14,389
高知県	第30位	8,292
福岡県	第20位	16,630
佐賀県	第31位	8,233
長崎県	第10位	43,933
熊本県	第25位	13,938
大分県	第29位	8,638
宮崎県	第 5 位	80,291
鹿児島県	第 1 位	210,901
沖縄県	第15位	25,648

0　　　　80,000　　　160,000　　240,000

［出典：100年 183頁］

グラフ51 肉用若鶏の飼育羽数の推移

肉用若鶏は、1965年には1827万9000羽飼育されていました。飼育羽数の最多は1990年の1億5044万5000羽で、この羽数は1965年の8.23倍です。その後、肉用若鶏の飼育羽数は一時減少しますが、2018年には1億3877万6000羽まで回復します。この羽数は、1956年の7.59倍です。

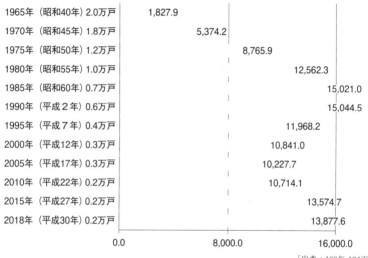

肉用若鶏の飼育羽数の推移（単位：万羽）

1965年（昭和40年）2.0万戸	1,827.9	
1970年（昭和45年）1.8万戸	5,374.2	
1975年（昭和50年）1.2万戸	8,765.9	
1980年（昭和55年）1.0万戸	12,562.3	
1985年（昭和60年）0.7万戸	15,021.0	
1990年（平成2年）0.6万戸	15,044.5	
1995年（平成7年）0.4万戸	11,968.2	
2000年（平成12年）0.3万戸	10,841.0	
2005年（平成17年）0.3万戸	10,227.7	
2010年（平成22年）0.2万戸	10,714.1	
2015年（平成27年）0.2万戸	13,574.7	
2018年（平成30年）0.2万戸	13,877.6	

0.0　　　　8,000.0　　　　16,000.0

［出典：100年 184頁］

グラフ52 53万tの鶏肉の輸入先

　2022年における鶏肉53万tの最多輸入先はブラジルで、同国からの輸入は、輸入全体の74.2%を占めています。

53万tの鶏肉の輸入先（単位：万t）

ブラジル	74.2%	39.33
アメリカ	2.3%	1.22
その他	0.4%	0.21

0.00　　　　　　20.00　　　　　　40.00

［出典：日本 67頁］

グラフ53 鶏卵生産量の都道府県別順位

　2019年の場合、鶏卵の総生産量は263万9733tで、47都道府県の平均は5万6145.5tでした。鶏卵の最多生産都道府県は茨城県で、総生産量の8.87％を生産しました。

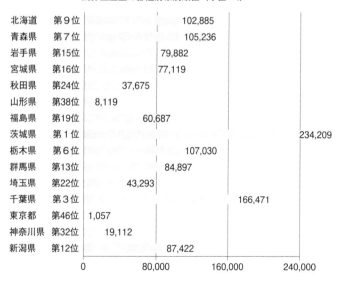

鶏卵生産量の都道府県別順位（単位：t）

北海道	第9位	102,885
青森県	第7位	105,236
岩手県	第15位	79,882
宮城県	第16位	77,119
秋田県	第24位	37,675
山形県	第38位	8,119
福島県	第19位	60,687
茨城県	第1位	234,209
栃木県	第6位	107,030
群馬県	第13位	84,897
埼玉県	第22位	43,293
千葉県	第3位	166,471
東京都	第46位	1,057
神奈川県	第32位	19,112
新潟県	第12位	87,422

富山県	第30位	19,708		
石川県	第31位	19,375		
福井県	第35位	13,531		
山梨県	第39位	8,040		
長野県	第40位	7,368		
岐阜県	第18位	72,992		
静岡県	第17位	73,674		
愛知県	第8位	104,732		
三重県	第10位	99,440		
滋賀県	第42位	6,883		
京都府	第26位	28,309		
大阪府	第47位	835		
兵庫県	第11位	88,611		
奈良県	第44位	5,512		
和歌山県	第43位	6,653		
鳥取県	第37位	11,647		
島根県	第34位	15,583		
岡山県	第4位	136,443		
広島県	第5位	135,443		
山口県	第28位	24,850		
徳島県	第36位	12,914		
香川県	第14位	83,372		
愛媛県	第25位	30,329		
高知県	第45位	4,753		
福岡県	第21位	52,425		
佐賀県	第41位	7,069		
長崎県	第27位	27,548		
熊本県	第23位	42,862		
大分県	第29位	21,697		
宮崎県	第20位	56,876		
鹿児島県	第2位	187,797		
沖縄県	第33位	17,368		

0　　　　　80,000　　　　160,000　　　240,000

［出典：県勢 197頁］

グラフ54 採卵鶏の飼育羽数の推移

　採卵鶏の飼育羽数は、1960年には5215万8000羽でしたが、この時の飼育農家は383万9000戸でしたから、一飼育農家の飼育羽数は13.5羽でした。しかし、2018年の一飼育農家の飼育羽数は9万975羽で、6738倍に達しました。

採卵鶏の飼育羽数の推移（単位：万羽）

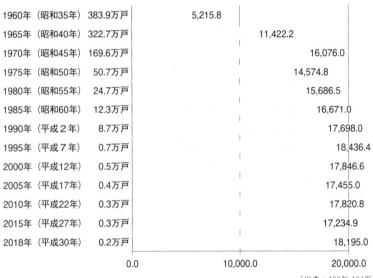

1960年（昭和35年）	383.9万戸	5,215.8
1965年（昭和40年）	322.7万戸	11,422.2
1970年（昭和45年）	169.6万戸	16,076.0
1975年（昭和50年）	50.7万戸	14,574.8
1980年（昭和55年）	24.7万戸	15,686.5
1985年（昭和60年）	12.3万戸	16,671.0
1990年（平成２年）	8.7万戸	17,698.0
1995年（平成７年）	0.7万戸	18,436.4
2000年（平成12年）	0.5万戸	17,846.6
2005年（平成17年）	0.4万戸	17,455.0
2010年（平成22年）	0.3万戸	17,820.8
2015年（平成27年）	0.3万戸	17,234.9
2018年（平成30年）	0.2万戸	18,195.0

　　　　　0.0　　　　　　10,000.0　　　　　20,000.0

［出典：100年 184頁］

第 **6** 章

海産物の自給問題

ここで食料自給問題としての「海産物の自給問題」について考え
ていきます。

　本論に入る前に、和歌山県太地町で行われているイルカ漁と、
オーストラリアの環境保護団体シーシェパードとの対立の問題に言
及します。
　なお、以下は著者個人の見解です。

1　太地町のイルカ漁とオーストラリアの環境保護団体 シーシェパード

　和歌山県太地町に、オーストラリアの環境保護団体シーシェパー
ドがやってきて、同町で行っているイルカ漁に激しく抗議し、やめ
る様に強硬に迫り、漁師の人達の顔写真を撮り、SNS上で拡散させ
たりしているとのことです。

1-1　オーストラリアとウサギ

　ところで、オーストラリアで、1859年（安政6年）の最初の入植
時に何羽かのウサギが持ち込まれました。ジロング付近の農場で放
された24羽のウサギは増殖し、9年後には1万4000羽以上が同農場
で射殺されました。しかし、ウサギはそれにめげることなく繁殖と
分散を続け、最も繁殖した時期には、オーストラリア全土で個体数

が8億羽を超えていたとのことです。8億羽以上のウサギを、オーストラリアはどの様にしたのでしょうか。その処置方法について、シーシェパードの皆さんに説明してもらうのが良いのではないでしょうか。フランスでは、ウサギが食事に供され、それは食文化を形成しています。それにしても、8億羽のウサギに、ウサギ料理好きのフランス人も辟易するのではないでしょうか。

1-2　オーストラリアと牛の飼育

　オーストラリアでは、多くの牛が飼育されています。2022年の場合、オーストラリアで飼育されている牛の頭数は2350万3000頭だそうです。この牛はやがて屠殺されるでしょう。その大半をオーストラリア人が食べるのではなく、輸出されると思われます。太地町でイルカを食べるのはいけない。しかし、毎年何百万頭の牛を殺すのは許される。その基準がどこにあるのか、シーシェパードの皆さんに説明してもらうのが良いでしょう。

1-3　オーストラリアと駱駝

　オーストラリアには、南のアデレードと北のダーウィン間2979kmを2日と6時間かけて走る「ザ・ガン」と名付けられた大陸縦断列車が運行されています。「ザ・ガン」の「ガン」は「アフガン」の略です。それは、オーストラリアの開拓時代に物資の輸送を担わせるために、アフガニスタン等から駱駝と駱駝使いが導入されたことに由来します。その貢献に謝意を表すべく、列車の名が

「ザ・ガン」とされたのです。この列車の機関車には、大きな○に囲まれた中に、「駱駝と駱駝使い」の絵が描かれています。

　しかし、鉄道の発達や道路網の整備とともに、駱駝は不要な存在となりました。

　そして駱駝は、オーストラリアのアウトバックと呼ばれる荒野に放されました。駱駝の数は増え、100万頭から200万頭となり、8年ないし9年で2倍になるのだそうです。

　オーストラリア政府は駱駝の駆除に力を入れており、2009年以降16万頭もの駱駝が駆除されたとのことです。イルカを殺してはいけない、駱駝を殺すのは許される。その基準はどこにあるのでしょうか。シーシェパードの皆さんに説明してもらうのが良いと思われます。ところで、アラビアの砂漠地帯の人達は、駱駝の肉を食べるのだそうです。若い雄の肉は大変美味しいとのことです。オーストラリアで駆除された駱駝は、食されたのでしょうか。

1-4　オーストラリアとカンガルー

　シーシェパードの皆さんは、太地町でのイルカ漁に猛反対しています。ところで、オーストラリアでは、年間140万頭ものカンガルーが殺されて食用に供されたり、サッカーシューズに加工されたりするのだそうです。イルカを殺してはいけない。年間140万頭のカンガルーを殺すのは許される。その基準はどこにあるのでしょうか。

2　捕鯨の目的

2-1　食用に供する捕鯨と鯨油確保の捕鯨

　海に生息する鯨を捕獲する理由は二つあると思います。一つは「食用に供すること」であり、他の一つは「鯨油を獲得すること」です。

　欧米では、過去に行われた捕鯨の最大の目的は、食用としての鯨肉確保ではなく、鯨から採れる鯨油の採取でした。鯨油は、灯火用燃料に加工されました。

　食用に供された鯨の総捕獲頭数と、鯨油採取のための鯨の総捕獲頭数の比率がどの位であるのかを調べましたが、把握できませんでした。なお、国際捕鯨委員会は、国際捕鯨取締条約に基づき、鯨資源の保存及び捕鯨産業の秩序ある発展を図ることを目的とした組織で、日本は1951年に加入しましたが、2019年6月30日に脱退しました。

2-2　太地町のイルカ漁

　「太地町でのイルカ漁業に対する和歌山県の公式見解」によりますと、「太地町は捕鯨の歴史が約400年あり、鯨やイルカはこの地域の食文化であること。イルカ漁は地域経済に欠かせない産業として人々の暮らしを支えているとのことです。

　なお、同見解によりますと、日本は国際捕鯨委員会から脱退しました。

日本では、排他的経済水域内で、2019年に1887頭の鯨を捕獲し、和歌山県は998頭を捕獲しました。なお、イルカと鯨は生物学的には同種で、体長４m未満をイルカとしているのだそうです。

　日本国勢図絵（165頁）によりますと、2019年度に、日本は鯨肉を1,000t生産し、同じく1,000t輸入し、日本人は2,000tの鯨肉を食しています。

　さて、以下で本論である「海産物の自給問題」を、グラフ55からグラフ72を参照しながら扱っていきます。

　概括的に言えば、我が国の重要な食糧源である海産物の漁獲量は減少傾向にあり、それと呼応して、漁業に従事する漁業者の人数も減少しています。しかし、近い将来、日本の人口は今より減少しますので、海産物を極力輸入しない様にして、漁業に従事する人達の収入を保障することで、漁獲の仕方の継承に努める必要があると思います。

グラフ55 漁獲量の推移

　1960年の漁獲量は919万3000tありました。漁獲量はその後増加し、1985年には1217万1000tになりました。漁獲量はこの年が最大で、この年の漁獲量1274.1万tは、1960年の1.32倍に相当します。

　漁獲量はその後減少し続け、2018年の漁獲量は438.9万tで、この漁獲量は、1960年の47.74％（0.48倍）に過ぎません。

漁獲量の推移（単位：万t）

1960年（昭和35年）	1.00倍	919.3
1965年（昭和40年）	0.75倍	690.8
1970年（昭和45年）	1.01倍	931.5
1975年（昭和50年）	1.15倍	1,054.5
1980年（昭和55年）	1.21倍	1,112.2
1985年（昭和60年）	1.32倍	1,217.1
1990年（平成2年）	1.20倍	1,105.2
1995年（平成7年）	0.81倍	748.9
2000年（平成12年）	0.69倍	638.4
2005年（平成17年）	0.63倍	576.5
2010年（平成22年）	0.58倍	531.8
2015年（平成27年）	0.50倍	463.1
2018年（平成30年）	0.48倍	438.9

0.0　　　　　700.0　　　　　1,400.0

［出典：100年 198頁］

　1954年に79万28人いた漁業従事者は、2018年は15万2082人で、その人数は、1954年のそれの19.25%（0.19倍）に過ぎません。

　海産物に関する他のグラフは、増加したり減少したりしていますが、漁業従事者の数は、他のグラフと異なり、一貫して減少する傾向にあります。

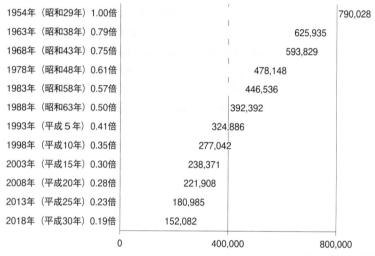

漁業就業者数の推移（単位：人）

1954年（昭和29年）	1.00倍	790,028
1963年（昭和38年）	0.79倍	625,935
1968年（昭和43年）	0.75倍	593,829
1978年（昭和48年）	0.61倍	478,148
1983年（昭和58年）	0.57倍	446,536
1988年（昭和63年）	0.50倍	392,392
1993年（平成5年）	0.41倍	324,886
1998年（平成10年）	0.35倍	277,042
2003年（平成15年）	0.30倍	238,371
2008年（平成20年）	0.28倍	221,908
2013年（平成25年）	0.23倍	180,985
2018年（平成30年）	0.19倍	152,082

［出典：100年 200頁］

グラフ57 魚介類国内生産の推移

このグラフの場合、年度に続いて記された数値は、魚介類の輸入数量を示しています。

1960年における魚介類の国内生産は580.3万tで、この年の魚介類の輸入は10.0万tでしたから、両者の比率は、国内生産が98.3%であったのに対し、輸入は1.69%に過ぎませんでした。

国内における魚介類の生産は1985年まで増加し続けますが、同年を境に国内生産は減少傾向に入り、1995年に国内生産が676.8万tであったのに対し輸入は675.5tで、国内産が輸入を上回る事僅かに0.3万tでした。

その後、国内産は減少し続けたのに対し、輸入は国内産を上回り続けています。2018年の場合、国内産と輸入を合わせた797.2tのうち、国内生産量が49.20%あるのに対し、輸入の割合は50.79%で、1.59%だけ輸入の割合が多くなっています。

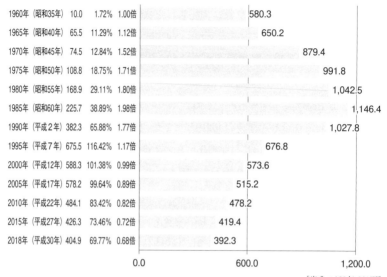

魚介類国内生産の推移（単位：万t）

1960年（昭和35年）	10.0	1.72%	1.00倍	580.3
1965年（昭和40年）	65.5	11.29%	1.12倍	650.2
1970年（昭和45年）	74.5	12.84%	1.52倍	879.4
1975年（昭和50年）	108.8	18.75%	1.71倍	991.8
1980年（昭和55年）	168.9	29.11%	1.80倍	1,042.5
1985年（昭和60年）	225.7	38.89%	1.98倍	1,146.4
1990年（平成2年）	382.3	65.88%	1.77倍	1,027.8
1995年（平成7年）	675.5	116.42%	1.17倍	676.8
2000年（平成12年）	588.3	101.38%	0.99倍	573.6
2005年（平成17年）	578.2	99.64%	0.89倍	515.2
2010年（平成22年）	484.1	83.42%	0.82倍	478.2
2015年（平成27年）	426.3	73.46%	0.72倍	419.4
2018年（平成30年）	404.9	69.77%	0.68倍	392.3

0.0　　　　　　600.0　　　　　1,200.0

［出典：100年 201頁］

2017年（平成29年）における水揚げ量の多い漁港

1位	銚子港23.1万t	2位	焼津港14.9万t	3位	釧路港14.1万t
4位	境港10.9万t	5位	石巻港10.8万t	6位	八戸港9.9万t

（出典：100年 202頁）

グラフ58 魚種別漁獲量

　「グラフ58.　魚種別漁獲量」によりますと、2018年度の場合、魚種別漁獲量が最も多いのは「いわし類」で、「さば類」、「かつお類」が「いわし類」に続いています。

　ここに示された魚種の総漁獲量は248万7418tであるのに対し、「グラフ57.　魚介類国内生産の推移」中、最下段の国内生産量は392.3万tです。両者の違いは、魚種別漁獲量の構成項目には、「ひらめ・かれい」、「帆立貝」、「たこ」、「こんぶ・わかめ」などが含まれていないことによります。

　以下では、各種の漁獲量は、このグラフに提示された漁獲量順に扱っていきます。

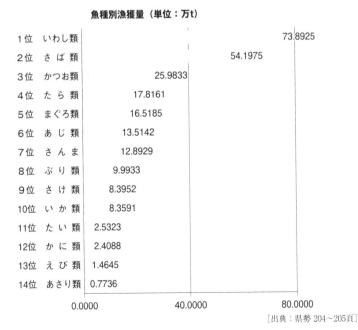

魚種別漁獲量（単位：万t）

順位	魚種	漁獲量
1位	いわし類	73.8925
2位	さば類	54.1975
3位	かつお類	25.9833
4位	たら類	17.8161
5位	まぐろ類	16.5185
6位	あじ類	13.5142
7位	さんま	12.8929
8位	ぶり類	9.9933
9位	さけ類	8.3952
10位	いか類	8.3591
11位	たい類	2.5323
12位	かに類	2.4088
13位	えび類	1.4645
14位	あさり類	0.7736

［出典：県勢 204～205頁］

グラフ59 いわし類漁獲量の推移

　「グラフ59. いわし類漁獲量の推移」によりますと、いわし類漁獲量は、1985年と1990年が、他の年度に比べ突出して多くなっています。1960年の漁獲量49.8万tを1.00とすれば、2018年のそれは1.48倍に相当しますので、漁業資源としてのいわし類に、減少傾向は認められない様です。

　グラフ59に提示された11の基準年度の総漁獲量は1,572.9万tで、11基準年度の平均は143.0万tでした。

いわし類漁獲量の推移 （単位：万t）

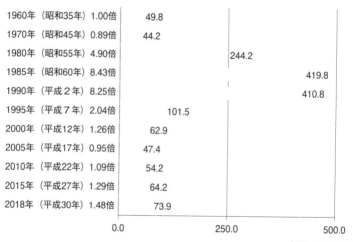

1960年	（昭和35年）	1.00倍	49.8
1970年	（昭和45年）	0.89倍	44.2
1980年	（昭和55年）	4.90倍	244.2
1985年	（昭和60年）	8.43倍	419.8
1990年	（平成２年）	8.25倍	410.8
1995年	（平成７年）	2.04倍	101.5
2000年	（平成12年）	1.26倍	62.9
2005年	（平成17年）	0.95倍	47.4
2010年	（平成22年）	1.09倍	54.2
2015年	（平成27年）	1.29倍	64.2
2018年	（平成30年）	1.48倍	73.9

0.0　　　　　　　250.0　　　　　　　500.0

［出典：100年 199頁］

　「いわし」と言った場合、にしん科の「まいわし」と「うるめいわし」、かたくちいわし科の「かたくちいわし」の3種です。

　また、「いわし類」は、「刺身」、「にぎり寿司」、「塩焼き」、「フライ」、「天ぷら」、「酢の物」、「煮つけ」などとして食されています。

いわし類漁獲量の多い都道府県

1位	茨城県 14.3142万t	**2位**	千葉県 7.2416万t	**3位**	長崎県 6.8728万t
4位	三重県 5.2228万t	**5位**	愛知県 3.9317万t	**6位**	静岡県 2.9822万t

（出典：県勢 203頁）

「グラフ60. さば類漁獲量の推移」に示されたさば類の漁獲量は、1970年と1980年が突出して多い状態にあります。また、2010年から2018年にかけて、漁獲量の増加傾向が認められます。

また、グラフ対象初年の1960年よりグラフ対象最終年の2018年の方が多く、2018年の漁獲量53.7万tは、1960年の漁獲量35.1万tの152.99%（≒1.53倍）です。

グラフ60に提示された11基準年度の総漁獲量は700.0万tで、11基準年度の平均は63.6万tでした。

さば類漁獲量の推移（単位：万t）

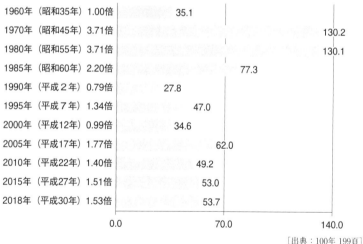

1960年（昭和35年）1.00倍	35.1
1970年（昭和45年）3.71倍	130.2
1980年（昭和55年）3.71倍	130.1
1985年（昭和60年）2.20倍	77.3
1990年（平成2年）0.79倍	27.8
1995年（平成7年）1.34倍	47.0
2000年（平成12年）0.99倍	34.6
2005年（平成17年）1.77倍	62.0
2010年（平成22年）1.40倍	49.2
2015年（平成27年）1.51倍	53.0
2018年（平成30年）1.53倍	53.7

0.0　　　　70.0　　　　140.0

［出典：100年 199頁］

　2022年１月９日の読売新聞「サイエンス・リポート」は、「まさば」は稚魚の間に共食いし、１割程度しか残らないので、共食いの少ない品種の開発を目指している」と伝えています。

　「さば」は「スズキ目・サバ科のサバ属・グルクマ属・ニジョウサバ属」などに分類され、日本近海では「マサバ」、「グルクマ」、「ニジョサバ」などが漁獲されます。

　また、さば類は、「煮魚」、「鯖寿司」、「しめ鯖」、「なれ寿司」として食される他、「めんつゆ」の原料として使用されます。

さば類漁獲量の多い都道府県

1位	茨城県 10.4273万t	2位	長崎県 10.0171万t	3位	静岡県 4.3245万t
4位	三重県 3.6385万t	5位	宮崎県 3.5481万t	6位	島根県 3.4259万t

（出典：県勢 203頁）

グラフ61 かつお類漁獲量の推移

　「グラフ61. かつお類の漁獲量」によりますと、かつお類の漁獲量は1970年と1980年が突出して多い状態になっています。他方で、2000年から2018年にかけて、かつお類漁獲量の減少傾向が認められます。

　かつお類の11の基準年度の総漁獲量は640.9万tで、11年基準年度の平均は58.3万tでした。この値は、1970年と1980年の漁獲量が平均値を大きく押し上げていることによります。

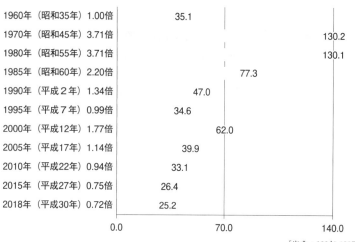

かつお類漁獲量の推移（単位：万t）

1960年	（昭和35年）	1.00倍	35.1
1970年	（昭和45年）	3.71倍	130.2
1980年	（昭和55年）	3.71倍	130.1
1985年	（昭和60年）	2.20倍	77.3
1990年	（平成2年）	1.34倍	47.0
1995年	（平成7年）	0.99倍	34.6
2000年	（平成12年）	1.77倍	62.0
2005年	（平成17年）	1.14倍	39.9
2010年	（平成22年）	0.94倍	33.1
2015年	（平成27年）	0.75倍	26.4
2018年	（平成30年）	0.72倍	25.2

0.0　　　　　70.0　　　　　140.0

［出典：100年 199頁］

　「かつお」は「スズキ目・サバ科」に属する魚で、暖海・外洋性の大型肉食魚で、1属1種（カツオ属）をなしています。大型のものは全長1m、体重18〜20Kgに達するが、漁獲が多いのは全長40cm程とのことです。

　日本では、かつおは「刺身」、「かつおのタタキ」として生食されますが、多くは「かつお節」として調味料的に利用されます。かつお節の生産は、鹿児島県枕崎市が日本一となっています。

かつお類漁獲量の多い都道府県

1位	静岡県 8.1353万t	2位	宮城県 3.1443万t	3位	東京都 2.9291万t
4位	高知県 2.3899万t	5位	宮崎県 1.4621万t	6位	三重県 1.4296万t

（出典：県勢 203頁）

「グラフ62. たら類漁獲量」によりますと、たら類の漁獲量は1970年が最多で、続いて1980年と1985年が多い状態にあります。漁獲量は、1990年以降減少傾向に入っている様です。

たら類の11基準年度の総漁獲量は885.3万tで、11年基準年度平均は80.5万tでした。

たら類漁獲量の推移（単位：万t）

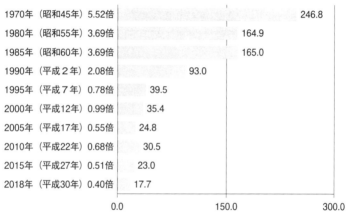

1970年（昭和45年）5.52倍	246.8
1980年（昭和55年）3.69倍	164.9
1985年（昭和60年）3.69倍	165.0
1990年（平成2年）2.08倍	93.0
1995年（平成7年）0.78倍	39.5
2000年（平成12年）0.99倍	35.4
2005年（平成17年）0.55倍	24.8
2010年（平成22年）0.68倍	30.5
2015年（平成27年）0.51倍	23.0
2018年（平成30年）0.40倍	17.7

0.0　　　　　150.0　　　　　300.0

［出典：100年 199頁］

　「たら」は「タラ目・タラ科」に属する魚で、日本近海では、北日本沿岸にマダラ、スケトウダラ、コマイが生息しているとのことです。食性は肉食性で、魚類や無脊椎動物を捕食しています。

　日本では「たらこ」として食されますが、これは「スケトウダラ」の卵巣を塩漬けにしたものが多いとのことです。

たら類漁獲量の多い都道府県

1位	北海道 16.0957万t	2位	岩手県 0.6177万t	3位	宮城県 0.4508万t
4位	青森県 0.3318万t	5位	石川県 0.0712万t	6位	秋田県 0.0639万t

（出典：県勢 204頁）

グラフ63 まぐろ類漁獲量の推移

「グラフ63．まぐろ類漁獲量の推移」によりますと、まぐろ類の漁獲量は1960年と1980、1985年が突出して多い状態になっていますが、1995年以降は減少傾向に入っている様です。

まぐろ類の11基準年度の総漁獲量は316.1万tで、11年基準年度の平均は28.7万tでした。

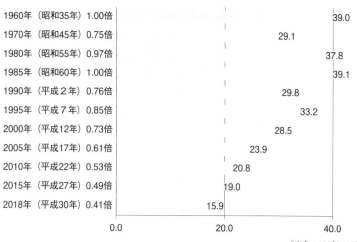

まぐろ類漁獲量の推移（単位：万t）

年	倍率	漁獲量
1960年（昭和35年）	1.00倍	39.0
1970年（昭和45年）	0.75倍	29.1
1980年（昭和55年）	0.97倍	37.8
1985年（昭和60年）	1.00倍	39.1
1990年（平成２年）	0.76倍	29.8
1995年（平成７年）	0.85倍	33.2
2000年（平成12年）	0.73倍	28.5
2005年（平成17年）	0.61倍	23.9
2010年（平成22年）	0.53倍	20.8
2015年（平成27年）	0.49倍	19.0
2018年（平成30年）	0.41倍	15.9

0.0　　　　　20.0　　　　　40.0

［出典：100年 199頁］

　「まぐろ」は「スズキ目サバ科まぐろ属」の暖海性魚類で、外洋・回遊性の大型肉食魚で、クロマグロ、タイセイヨウクロマグロ、ミナミマグロ、メバチ、ビンナガ等の魚種があり、刺身、寿司、焼魚、ステーキ、缶詰などとして食されているとのことです。なお、まぐろは泳いでいないとエラ呼吸ができないとのことで、時速80kmから90kmで泳ぐこともできるのだそうです。

まぐろ類漁獲量の多い都道府県

1位	静岡県 3.0597万t	2位	宮城県 2.9208万t	3位	宮崎県 1.6448万t
4位	高知県 1.5488万t	5位	鹿児島県 1.1838万t	6位	三重県 1.1653万t

（出典：県勢 203頁）

グラフ64 あじ類漁獲量の推移

「グラフ64. あじ類漁獲量の推移」によりますと、あじの漁獲量は、1960年、1980年、1985年、1995年が多く、37万tから39万t程度ありました。しかし、1995年以降は漁獲量が減少傾向にある様です。

あじ類の11基準年度の総漁獲量は314.9万tで11年基準年度の平均は28.6万tでした。

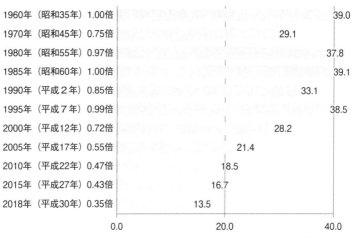

あじ漁獲量の推移（単位：万t）

年	倍率	漁獲量
1960年（昭和35年）	1.00倍	39.0
1970年（昭和45年）	0.75倍	29.1
1980年（昭和55年）	0.97倍	37.8
1985年（昭和60年）	1.00倍	39.1
1990年（平成2年）	0.85倍	33.1
1995年（平成7年）	0.99倍	38.5
2000年（平成12年）	0.72倍	28.2
2005年（平成17年）	0.55倍	21.4
2010年（平成22年）	0.47倍	18.5
2015年（平成27年）	0.43倍	16.7
2018年（平成30年）	0.35倍	13.5

0.0　　　　20.0　　　　40.0

［出典：100年 199頁］

　「あじ」は「アジ科アジ亜科」に含まれる魚の総称で、日本では「マアジ」
を指すことが多く、刺身、寿司、焼魚、煮魚、から揚げ、フライなどとして
食されています。

あじ類漁獲量の多い都道府県

1位	長崎県 4.9267万t	2位	島根県 2.8576万t	3位	宮崎県 0.8121万t
4位	鹿児島県 0.5513万t	5位	鳥取県 0.5409万t	6位	愛媛県 0.5292万t

（出典：県勢 203頁）

グラフ65 さんま漁獲量の推移

「グラフ65. さんま漁獲量の推移」によりますと、1970年のさんまの漁獲量は、1960年の漁獲量の32.4％に減じますが、1970年から1990年までは漁獲量が増加傾向に入っていました。しかし、漁獲量は1990年以降は減少傾向に入っている様です。1960年の漁獲量28.7万tを1.00としますと、2018年の漁獲量12.9万tは、1960年の漁獲量28.7万tの44.94％（＝0.45倍）に相当します。

さんまの11基準年度の総漁獲量は229.4万tで、11年基準年度の平均は20.9万tでした。

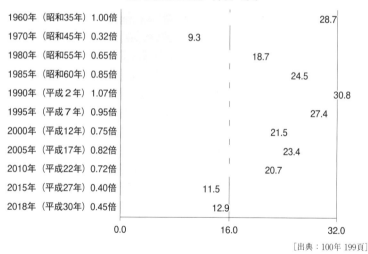

さんま漁獲量の推移（単位：万t）

1960年（昭和35年）1.00倍		28.7
1970年（昭和45年）0.32倍	9.3	
1980年（昭和55年）0.65倍	18.7	
1985年（昭和60年）0.85倍	24.5	
1990年（平成2年）1.07倍		30.8
1995年（平成7年）0.95倍	27.4	
2000年（平成12年）0.75倍	21.5	
2005年（平成17年）0.82倍	23.4	
2010年（平成22年）0.72倍	20.7	
2015年（平成27年）0.40倍	11.5	
2018年（平成30年）0.45倍	12.9	

0.0　　　16.0　　　32.0

［出典：100年 199頁］

　「さんま」は、「ダツ目サンマ科サンマ属」に属する魚で、日本では、塩焼き、刺身、寿司、押し寿司、缶詰として食されることが多いとのことです。

さんま漁獲量の多い都道府県

1位	北海道 6.1077万t	**2位**	宮城県 1.8078万t	**3位**	岩手県 1.5904万t
4位	富山県 1.0907万t	**5位**	福島県 0.7615万t	**6位**	長崎県 0.3763万t

（出典：県勢 203頁）

グラフ66 ぶり類漁獲量の推移

　「グラフ66. ぶり類漁獲量の推移」によりますと、他の魚種と異なり、ぶり類の漁獲量は増加傾向にあります。1960年の漁獲量4.1万tを1.00とした場合、2018年の漁獲量10.0万tは、1960年の漁獲量の2.44倍に相当します。

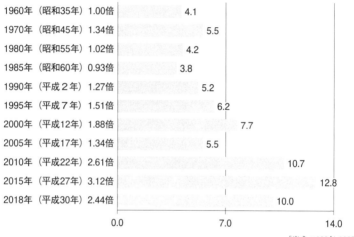

ぶり類漁獲量の推移 （単位：万t）

1960年 （昭和35年） 1.00倍	4.1
1970年 （昭和45年） 1.34倍	5.5
1980年 （昭和55年） 1.02倍	4.2
1985年 （昭和60年） 0.93倍	3.8
1990年 （平成２年） 1.27倍	5.2
1995年 （平成７年） 1.51倍	6.2
2000年 （平成12年） 1.88倍	7.7
2005年 （平成17年） 1.34倍	5.5
2010年 （平成22年） 2.61倍	10.7
2015年 （平成27年） 3.12倍	12.8
2018年 （平成30年） 2.44倍	10.0

0.0　　　　　　7.0　　　　　14.0

［出典：100年 199頁］

　「ぶり」は「スズキ目・アジ科」属する回遊性の大型肉食魚で、大きさによって呼び名の異なる出世魚とのことです。関東では、①モジャコ（稚魚）、②ワカシ（35cm以下）、③イナダ（60cm以下）、④ワラサ（80cm以下）、⑤ブリ（80cm以上）。

　「ぶり」は、刺身、たたき、にぎり寿司、しゃぶしゃぶ、焼き魚、煮魚、みそ漬け等として食されています。

ぶり類漁獲量の多い都道府県

1位	長崎県 1.4113万t	2位	島根県 0.9578万t	3位	千葉県 0.8948万t
4位	富山県 1.0907万t	5位	鳥取県 0.8159万t	6位	岩手県 0.7546万t

（出典：県勢 204頁）

グラフ67 さけ類漁獲量の推移

　「グラフ67．さけ類漁獲量の推移」によりますと、さけ類は1970年から増加傾向に入りました。しかし、さけ類は2005年から減少傾向に入った様です。1960年の漁獲量14.7万tを1.00としますと、さけ類漁獲量は年度に続いて提示された数値の如く、減少値を示しています。

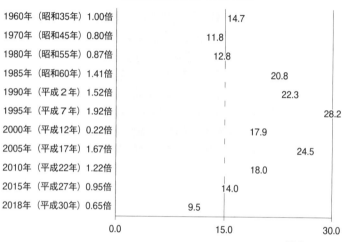

さけ類漁獲量の推移（単位：万t）

1960年	（昭和35年）	1.00倍	14.7
1970年	（昭和45年）	0.80倍	11.8
1980年	（昭和55年）	0.87倍	12.8
1985年	（昭和60年）	1.41倍	20.8
1990年	（平成２年）	1.52倍	22.3
1995年	（平成７年）	1.92倍	28.2
2000年	（平成12年）	0.22倍	17.9
2005年	（平成17年）	1.67倍	24.5
2010年	（平成22年）	1.22倍	18.0
2015年	（平成27年）	0.95倍	14.0
2018年	（平成30年）	0.65倍	9.5

[出典：100年 199頁]

　「さけ類」には、「サケ目・サケ科・さけ亜科」に属する「さけ」と、「サケ目・サケ科」に属する「ます」があります。

　さけは、あら汁、鍋物、焼魚、揚げ物、缶詰として食されます。

　なお、さけにはサナダムシやアニサキスといった寄生虫がいることがあるので、冷凍して除去します。それ故、さけの刺身は冷凍したものを解凍することになっています。

　さけは北大平洋を回遊して、生まれ育った河川に戻り産卵します。

　「サケ」と「マス」の境界はあいまいで、国によって分類が異なるとのことです。

さけ類漁獲量の多い都道府県

1位	北海道 6.7707万t	2位	岩手県 0.8916万t	3位	青森県 0.3945万t
4位	宮城県 0.2305万t	5位	秋田県 0.0540万t	6位	新潟県 0.0279万t

（出典：県勢 203頁）

グラフ68 いか類漁獲量の推移

　「グラフ68. いか類漁獲量の推移」によりますと、いか類は、1960年から2000年にかけては若干の増加を示していますが、2000年からは減少傾向に入っている様です。1960年の漁獲量54.2万tを1.00とした場合、2018年の漁獲量8.1万tは、0.15に過ぎません。

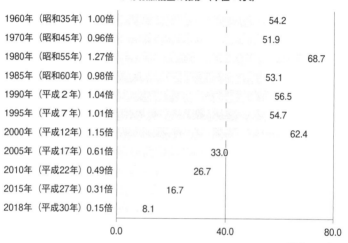

いか類漁獲量の推移 （単位：万t）

1960年 （昭和35年） 1.00倍		54.2
1970年 （昭和45年） 0.96倍		51.9
1980年 （昭和55年） 1.27倍		68.7
1985年 （昭和60年） 0.98倍		53.1
1990年 （平成2年） 1.04倍		56.5
1995年 （平成7年） 1.01倍		54.7
2000年 （平成12年） 1.15倍		62.4
2005年 （平成17年） 0.61倍	33.0	
2010年 （平成22年） 0.49倍	26.7	
2015年 （平成27年） 0.31倍	16.7	
2018年 （平成30年） 0.15倍	8.1	

0.0　　　　　　40.0　　　　　　80.0

［出典：100年 199頁］

　「いか」は「軟体動物門・頭足綱十腕形上目」に属し、「コウイカ」、「ヤリイカ」、「スルメイカ」等があり、刺身、揚げ物、塩から、干物などとして食されています。

いか類漁獲量の多い都道府県

1位	青森県 1.7931万t	2位	北海道 1.4877万t	3位	長崎県 0.7036万t
4位	石川県 0.5033万t	5位	宮城県 0.4475万t	6位	兵庫県 0.414万t

（出典：県勢 204頁）

グラフ69 たい類漁獲量の推移

「グラフ69. たい類漁獲量の推移」によりますと、たい類の漁獲量は、1960年から1985年にかけて減少していますが、1990年から2018年にかけては、漁獲量が安定しています。

1960年の漁獲量4.5万tを1.00とした場合、2018年の漁獲量2.5万tは0.56に相当します。

たい類漁獲量の推移（単位：万t）

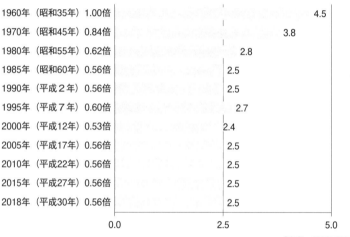

1960年 （昭和35年）	1.00倍	4.5
1970年 （昭和45年）	0.84倍	3.8
1980年 （昭和55年）	0.62倍	2.8
1985年 （昭和60年）	0.56倍	2.5
1990年 （平成２年）	0.56倍	2.5
1995年 （平成７年）	0.60倍	2.7
2000年 （平成12年）	0.53倍	2.4
2005年 （平成17年）	0.56倍	2.5
2010年 （平成22年）	0.56倍	2.5
2015年 （平成27年）	0.56倍	2.5
2018年 （平成30年）	0.56倍	2.5

0.0　　　　　2.5　　　　　5.0

［出典：100年 199頁］

　「たい」は、「スズキ目タイ科の総称で、狭義には「タイ科のマダイ」を指すとのことです。タイ科には、マダイの他に、クロダイ、キダイ、チダイなどがあるとのことで、鯛めし、鯛味噌、宵煮、小鯛笹寿司、塩焼きなどとして食されています。

たい類の漁獲量の多い都道府県

1位	長崎県 0.4522万t	2位	福岡県 0.2618万t	3位	島根県 0.1748万t
4位	愛媛県 0.1721万t	5位	兵庫県 0.1672万t	6位	山口県 0.1395万t

（出典：県勢 204頁）

「グラフ70. かに類漁獲量の推移」によりますと、かに類漁獲量は、1960年から1985年にかけて増加していますが、1985年を境に、その後は減少傾向に入っています。

1960年の漁獲量6.4万tを1.00としますと、2018年の漁獲量2.4万tは0.38に過ぎません。

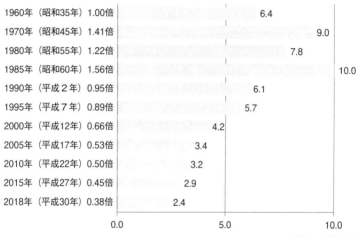

かに類漁獲量の推移（単位：万t）

[出典：100年 199頁]

144

　「かに」は、「十脚目」に属する甲殻類の総称で、「ズワイガニ」、「毛ガニ」、「ワタリガニ」などがあり、刺身、しゃぶしゃぶ、焼き物、鍋物などで食されています。

　なお、「かに」は食物アレルギーを起こしやすく、「かに」を原材料として含む製品は、「かにを含んでいる旨の表示義務がある」とのことです。

かに類漁獲量の多い都道府県

1位	北海道 0.5622万t	2位	鳥取県 0.3739万t	3位	兵庫県 0.3204万t
4位	新潟県 0.2291万t	5位	島根県 0.2174万t	6位	石川県 0.1370万t

（出典：県勢 204頁）

　「グラフ71．えび類漁獲量の推移」によりますと、えび類の漁獲量は、1960年から基本的に減少し続けています。1960年の漁獲量6.2万tを1.00としますと、2018年の漁獲量1.5万tは0.24に相当するに過ぎません。

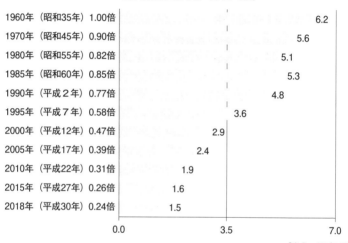

えび類漁獲量の推移（単位：万t）

年	倍率	漁獲量
1960年（昭和35年）	1.00倍	6.2
1970年（昭和45年）	0.90倍	5.6
1980年（昭和55年）	0.82倍	5.1
1985年（昭和60年）	0.85倍	5.3
1990年（平成２年）	0.77倍	4.8
1995年（平成７年）	0.58倍	3.6
2000年（平成12年）	0.47倍	2.9
2005年（平成17年）	0.39倍	2.4
2010年（平成22年）	0.31倍	1.9
2015年（平成27年）	0.26倍	1.6
2018年（平成30年）	0.24倍	1.5

0.0　　　3.5　　　7.0

［出典：100年 199頁］

　「えび」は、「節足動物門・甲殻亜門・軟甲綱・十脚目」に属し、「くるまえび」、「しばえび」、「うちわえび」等があり、「刺身」、「茹でえび」、「焼きえび」、「つくだ煮」、「寿司」、「天ぷら」、「えびフライ」などとして食されています。

えび類漁獲量の多い都道府県

1位	佐賀県 0.2145万t	**2位**	北海道 0.1410万t	**3位**	兵庫県 0.1336万t
4位	愛知県 0.1137万t	**5位**	石川県 0.1002万t	**6位**	愛媛県 0.0951万t

（出典：県勢 204頁）

グラフ72 あさり類漁獲量の推移

「グラフ72. あさり類漁獲量の推移」によりますと、あさり類の漁獲量は1960年から1985年にかけて10万t余りの漁獲量がありました。しかし、あさり類の漁獲量は1985年を境に減少傾向に入っています。1960年のあさり類漁獲量10.2万tを1.00としますと、2018年の漁獲量0.7万tは0.07に過ぎません。

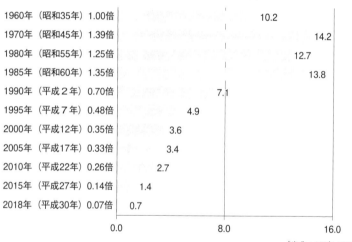

あさり類漁獲量の推移（単位：万t）

1960年（昭和35年）1.00倍		10.2
1970年（昭和45年）1.39倍		14.2
1980年（昭和55年）1.25倍		12.7
1985年（昭和60年）1.35倍		13.8
1990年（平成2年）0.70倍	7.1	
1995年（平成7年）0.48倍	4.9	
2000年（平成12年）0.35倍	3.6	
2005年（平成17年）0.33倍	3.4	
2010年（平成22年）0.26倍	2.7	
2015年（平成27年）0.14倍	1.4	
2018年（平成30年）0.07倍	0.7	

0.0　　　　　8.0　　　　　16.0

［出典：100年 199頁］

　「あさり」は「異歯亜綱」に属する二枚貝で、「潮汁」、「味噌汁の具」、「酒蒸し」、「和え物」として食されています。

　「あさり類」の中には「しじみ」が含まれていると思います。「しじみ」は「異歯亜綱」に属する二枚貝で、淡水域や汽水域に生息しています。

かき類の漁獲量の多い都道府県

1位	広島県 10.4014万t	2位	宮城県 2.6086万t	3位	岡山県 1.5510万t
4位	兵庫県 0.8652万t	5位	岩手県 0.6644万t	6位	北海道 0.4083万t

（出典：県勢 204頁）

のり類の漁獲量の多い都道府県

1位	兵庫県 6.8225万t	2位	佐賀県 6.8166万t	3位	岡山県 1.5510万t
4位	熊本県 3.3103万t	5位	香川県 1.4715万t	6位	宮城県 1.3075万t

（出典：県勢 204頁）

わかめ類の漁獲量の多い都道府県

1位	岩手県 1.8220万t	2位	宮城県 1.6939万t	3位	徳島県 0.6280万t
4位	長崎県 0.0989万t	5位	神奈川県 0.0898万t	6位	北海道 0.0597万t

（出典：県勢 204頁）

第7章

排他的経済水域の広さは世界6位

この章では、国連が規定する海洋法と、海洋法が規定したことによる我が国の海の状況について見ていきます。

1　海洋法

　外務省「海洋の国際法秩序と国連海洋条約」によりますと、「海洋の法的秩序の根幹をなす海洋法は、海洋の利用・開発とその規制に関する国際法上の権利義務関係を定めるもの」です。

2　海洋法の成立と我が国の批准

　海洋法は、第二次大戦後に国連で採択され、我が国は1983年（昭和58年）2月に署名。1996年（平成8年）6月に批准し、同年7月20日（同年よりこの日、2003年より第3月曜日を「海の日」に制定）に発効されました。2020年7月現在、167か国、及びEUが締結しています。

3　海洋法の規定内様

　条約は、領海、接続水域、排他的経済水域、大陸棚、公海、深海等の海洋に関する諸問題について、包括的に規程しています。

3-1　公海

公海は、すべての国に開放され、すべての国が公海の自由（航行の自由、上空飛行の自由、漁獲の自由、海洋の科学的調査の自由等）を享受することのできる海洋です。

3-2　領海

いずれの国も、基線から測定して12海里（1海里＝1.852km。12海里＝22.224km）を超えない範囲で、領海の幅を定める権利を有しています。我が国は、「領海及び接続水域に関する法律（1977年）により、領海の基線を規定しています。沿岸国の主権は領海に及びます。

領海は、領土と同じように日本の海です（この項：国土技術研究センターHP参照）。

3-3　接続水域

沿岸国は、領海に接続する水域（領海基線から24海里（＝44.448km）を超えない範囲）において、自国の通関、財政、出入国管理または衛生に関する一定の規制を行うことができます（領海及び接続水域に関する法律）。

接続水域は、密輸や不法入国を防止するためなどに、日本が様々な規制を定めることができる海域です（この項：国土技術研究センターHP参照）。

3-4　排他的経済水域（EEZ＝Exclusive Economic Zone）

　領海の外側に、領海の基線から200海里（＝370.4km）を超えない範囲内で、排他的経済水域の設定が認められています。

　沿岸国はEEZにおいて、天然資源の探査、開発、保存及び管理等の為の主権的権利を有します。

　沿岸国は、EEZにおいて、人工島、施設及び構築物の設置及び利用、海洋環境の保護及び保全、海洋の科学的調査等に関する管轄権を有します。

　排他的経済水域は、魚などの水産資源や石油や天然ガス、鉱物資源などの資源を日本の支配下に置くことができる海域です（この項：国土技術研究センターHP参照）。

3-5　大陸棚

　領海を超える海面下の区域の海底及びその下であって領海基線から原則として200海里（＝370.4km）まで、（地質上及び地形上の一定の要件を満たす場合には、更にその外側の一定の限界まで）のものを沿岸国の大陸棚として規定しています。

3-6　深海底

　深海底（国の管轄の及ぶ区域の境界（大陸棚の外側の境界線）及びその鉱物資源は「人類共同の財産」とされます。

4-1　世界の海域と排他的経済水域の面積順位

順位	国名	領海と排他的経済水域の面積	国土面積
1位	アメリカ	762万km^2 国土面積の0.8倍	963万km^2（3位）
2位	オーストラリア	701万km^2 国土面積の0.9倍	769万km^2（6位）
3位	インドネシア	541万km^2 国土面積の2.9倍	190万km^2（15位）
4位	ニュージーランド	483万km^2 国土面積の17.9倍	27万km^2（73位）
5位	カナダ	470万km^2 国土面積の0.5倍	998万km^2（2位）
6位	日本	447万km^2 国土面積の11.8倍	38万km^2（60位）

4-2　世界の海岸線の長さ順位

1位	カナダ	202,080km	2位	インドネシア	54,716km
3位	グリーンランド	44,087km	4位	ロシア	37,653km
5位	フィリピン	36,289km	6位	日本	29,751km

5　海上保安庁「日本の領海概念図」による記載内容

国土面積	約38万km^2
領海（含：内水）	約43万km^2
接続水域	約32万km^2
排他的経済水域（含：接続水域）	約405万km^2
延長大陸棚	約18万km^2
領海（含：内水）＋排他的経済水域（含：接続水域）	約447万km^2

領海（含：内水）＋排他的経済水域（含：接続水域）＋延長大陸棚

約465万km^2

6　日本の排他的経済水域内にレアアース資源を確認　世界需要の数百年分－早稲田大学らの研究－

この記述を要約して示します。

1－1．南鳥島周辺の排他的経済水域内に、世界需要数百年分に相当するレアアース資源が存在することを確認した。

1－2．レアアース元素は、再生可能エネルギー技術やエレクトロニクス、医療技術分野など、日本が技術的優位性を有する最先端産業に必須の金属材料である。

1－3．レアアースの世界生産は中国が寡占状態にあり、その供給量の脆弱性が問題となっていた。

1－4．レアアースを含む泥の回収技術の確立にも成功した。

1－5．海底鉱物資源の開発、並びに、レアアース活用による多様な最先端技術の発展と創出が期待される。

7　メタンハイドレート（燃える氷）も産出可能

メタンハイドレートについて、産業技術総合研究所の記述内容を次に要約して記します。

①メタンハイドレートは、天然ガスの元であるメタンガスが海底下

で氷状に固まっている物質で、火を点けると燃えるため、「燃える氷」とも呼ばれています。

②日本の周辺海域にも、メタンハイドレートは大量に存在しています。

③北海道周辺の日本海、オホーツク海、太平洋や、本州から四国、九州西岸にに至る太平洋側の大陸斜面などに確認されており、その総面積は122,000km^2（2009年調査時点）。

④渥美半島・志摩半島沖の東部南海トラフ海域だけでも、国内の天然ガス使用量の11年分相当量が埋蔵しているとされます。

⑤メタンハイドレートを資源として活用できる様になれば、自国で資源を長期的かつ安定的に確保することが可能です。

8　海洋は、水産資源とエネルギー資源の宝庫

　海には魚類が生息しています。古来、日本人は、「狩猟・漁労」という言葉に見られる様に、漁業を生業とし、漁獲物を食料としてきました。

　日本人に限らず、人の生活にはエネルギーが必要です。最も古典的なエネルギー源は「火力」ですが、エネルギーを使用する場面が多様化することで、エネルギーの供給不足が深刻な状態になっています。

　膨大なエネルギーを内包している存在に「海洋」があります。エネルギー資源でいえば、海には「海流」や「波力」、「潮汐力」など

があります。これら未開拓のエネルギー源を開拓することが望まれます。日本には、無尽蔵のエネルギー源である海が排他的経済水域の形でも存在していますので、其処に内在するエネルギーを手に入れることができます。日本人は早晩、「海流」や「波力」、「潮汐力」から「電力」を取り出すことでしょう。それは日本が直面しているエネルギー問題を、一挙に解決するものと考えています。

第 **8** 章

エネルギー源の自給問題

この章では、グラフ73からグラフ88を参照しながら、我が国のエネルギー源の自給問題を扱います。

グラフ73 使用電力量の推移

　「グラフ73. 使用電力量の推移」で、年度の次に記されている値は、1930年の使用電力量126兆1800億kwを1.00とした場合の、その後の年度の電力使用量に対する倍率を示しています。

　1930年の使用電力量は126兆1800億kwでした。終戦直後の1945年の電力使用量は164兆1900億kwで、これは、1930年の使用電力量の1.30倍でした。

　我が国の電力使用量は増加し続け、2010年の電力使用量1京564兆4100億kwが最大で、この年を境に、使用電力量は減少します。2018年の電力使用量9753兆8800億kwは、8年前の2010年の電力使用料1京564兆4100億kwの92.3%に相当します。

　なお、このグラフで2018年の電力使用量が2010年のそれより減少していますが、それは、2011年3月11日に発生した東日本大震災で、福島第一発電所が被害を受け、それ以降、原子力発電所の安全性問題が浮上し、原子力発電がほぼ停止状態に至ったことによります。

使用電力量の推移（単位：兆kw）

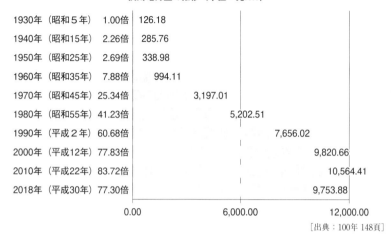

1930年（昭和 5 年）	1.00倍	126.18
1940年（昭和15年）	2.26倍	285.76
1950年（昭和25年）	2.69倍	338.98
1960年（昭和35年）	7.88倍	994.11
1970年（昭和45年）	25.34倍	3,197.01
1980年（昭和55年）	41.23倍	5,202.51
1990年（平成 2 年）	60.68倍	7,656.02
2000年（平成12年）	77.83倍	9,820.66
2010年（平成22年）	83.72倍	10,564.41
2018年（平成30年）	77.30倍	9,753.88

0.00　　　　6,000.00　　　　12,000.00

［出典：100年 148頁］

グラフ74 使用電力量の内訳

　2018年の場合、使用電力量の最多は「高圧・特別高圧」で、続いて、家庭などで使用される「電灯」となります。

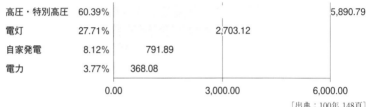

使用電力量の内訳（単位：兆kw）

高圧・特別高圧	60.39%	5,890.79
電灯	27.71%	2,703.12
自家発電	8.12%	791.89
電力	3.77%	368.08

0.00　　　　　3,000.00　　　　　6,000.00

［出典：100年 148頁］

　「グラフ74. 2018年使用電力量の内訳」中の用語は、次の意味を持ちます。

①「高圧」は「7000Ⅴ以下」、「特別高圧」は「7000Ⅴを超える電力」で、送電で用いられ、最終消費地に近づくにつれ、電圧は下げられます。

②「電灯」は、「一般家庭、小規模事業所、公衆街路灯等」による電力使用量を意味します。

③「自家発電」は、「電気を消費する者が発電装置を備えて発電すること」です。

④「電力」は、「業務用電力、小口電力、大口電力、その他電力の使用量」を意味します。

　さて、2018年の使用電力の総電力量は9,753.88兆Kwでした。

グラフ75 一次エネルギー供給量

　ここでの単位は「PJ」で、「P」は（ペタ＝10の15乗）、「J」は「ジュール」で、「1J」は「1J≒0.239カロリー」ですから、「1PJ＝2390億キロカロリー」になります。

　2000年の場合、熱供給量が多いのは「石油」、「石炭」、「天然ガス・都市ガス」の順でした。また、原子力は13％を供給していました。

　なお、ここで言う「未活用エネルギー」は「廃棄物、再生油、排気熱などによるエネルギー」を、「再生可能エネルギー」は「太陽光発電、太陽熱利用、バイオマス、風力発電」を指します。

一次エネルギー供給量（単位：PJ）

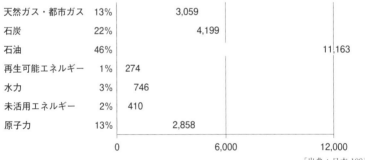

天然ガス・都市ガス	13%	3,059
石炭	22%	4,199
石油	46%	11,163
再生可能エネルギー	1%	274
水力	3%	746
未活用エネルギー	2%	410
原子力	13%	2,858

0　　　　　　　6,000　　　　　　12,000

［出典：日本 108頁］

グラフ76 一次エネルギー供給量

2018年の場合、2011年に発生した福島第一原子力発電所事故の影響で、発電量が減少した他、石油相場も約3年ぶりの高値で、石油によるエネルギー供給も減少しました。

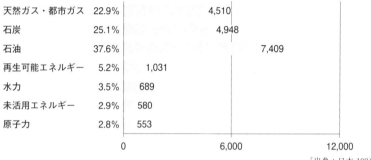

一次エネルギー供給量（単位：PJ）

天然ガス・都市ガス	22.9%	4,510
石炭	25.1%	4,948
石油	37.6%	7,409
再生可能エネルギー	5.2%	1,031
水力	3.5%	689
未活用エネルギー	2.9%	580
原子力	2.8%	553

0　　　　　　　6,000　　　　　　12,000

［出典：日本 108頁］

グラフ77 原子力発電量の推移

　「グラフ77．原子力発電量の推移」によりますと、2011年以降の発電量は減少しています。これは、2011年3月11日に発生した東日本大震災で、福島第一原子力発電所が大きな被害を受けたことによる発電量の減少によります。

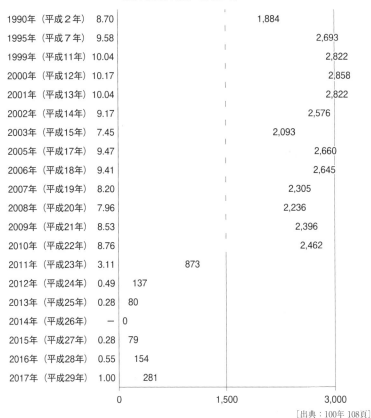

原子力発電の推移（単位PJ）

1990年 （平成2年）	8.70	1,884
1995年 （平成7年）	9.58	2,693
1999年 （平成11年）	10.04	2,822
2000年 （平成12年）	10.17	2,858
2001年 （平成13年）	10.04	2,822
2002年 （平成14年）	9.17	2,576
2003年 （平成15年）	7.45	2,093
2005年 （平成17年）	9.47	2,660
2006年 （平成18年）	9.41	2,645
2007年 （平成19年）	8.20	2,305
2008年 （平成20年）	7.96	2,236
2009年 （平成21年）	8.53	2,396
2010年 （平成22年）	8.76	2,462
2011年 （平成23年）	3.11	873
2012年 （平成24年）	0.49	137
2013年 （平成25年）	0.28	80
2014年 （平成26年）	－	0
2015年 （平成27年）	0.28	79
2016年 （平成28年）	0.55	154
2017年 （平成29年）	1.00	281

0　　　　　　1,500　　　　　　3,000

［出典：100年 108頁］

165

原子力発電所

泊発電所	北海道電力	北海道古宇郡泊村
東通原子力発電所	東北電力	青森県下北郡東通村
女川原子力発電所	東北電力	宮城県牡鹿郡女川町
東海第二発電所	日本原子力発電	茨城県那珂郡東海村
柏崎刈羽原子力発電所	東京電力	新潟県刈羽郡刈羽村
浜岡原子力発電所	中部電力	静岡県御前崎市
志賀原子力発電所	北陸電力	石川県羽咋郡志賀町
敦賀発電所	日本原子力発電	福井県敦賀市
美浜発電所	関西電力	福井県三方郡美浜町
大飯発電所	関西電力	福井県大飯郡おおい町
高浜発電所	関西電力	福井県大飯郡高浜町
島根原子力発電所	中国電力	島根県松江市
伊方発電所	四国電力	愛媛県西宇和郡伊方町
玄海原子力発電所	九州電力	佐賀県東松浦郡玄海町
川内原子力発電所	九州電力	鹿児島県薩摩川内市

グラフ78 世界の原子力発電容量

「グラフ78. 2020年における世界の原子力発電容量」によりますと、原子力発電所の発電容量の最多はアメリカで、日本の発電容量3308.3万kwを1.00とした場合、3.08倍に相当します。発電容量で世界第2位は、フランスでした。

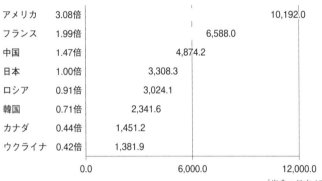

世界の原子力発電容量（単位：万kw）

アメリカ	3.08倍	10,192.0
フランス	1.99倍	6,588.0
中国	1.47倍	4,874.2
日本	1.00倍	3,308.3
ロシア	0.91倍	3,024.1
韓国	0.71倍	2,341.6
カナダ	0.44倍	1,451.2
ウクライナ	0.42倍	1,381.9

［出典：日本 124頁］

2018年の場合、最終エネルギー消費で最多は石油で、47.84%を占めています。石炭、都市ガス、天然ガスの大半は輸入によっています。

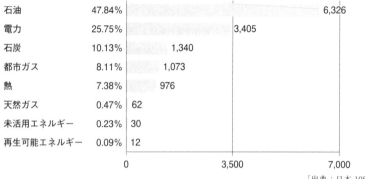

最終エネルギー消費（単位：PJ）

石油	47.84%	6,326
電力	25.75%	3,405
石炭	10.13%	1,340
都市ガス	8.11%	1,073
熱	7.38%	976
天然ガス	0.47%	62
未活用エネルギー	0.23%	30
再生可能エネルギー	0.09%	12

0　　　　　　　3,500　　　　　　7,000

［出典：日本 108頁］

グラフ80　再生可能エネルギー買取状況

　「グラフ80.　2019年における再生可能エネルギー買取状況」の総買取エネルギーは903.5億kwで、そのうち「非住宅用太陽光発電」の買取量550億200万kwは全買取量の60.87%を占めています。

　なお、「バイオマス」は、「木材や植物残渣などのバイオマス（再生可能な生物資源）を原料として発電を行う発電方式」を言います。

再生可能エネルギー買取状況（単位：億kw）

非住宅用太陽光発電	60.87%	550.02
バイオマス	17.12%	154.73
住宅用太陽光発電	9.58%	86.57
風力	8.05%	72.72
水力	3.83%	34.65
地熱	0.55%	4.96

0.00　　　　　　300.00　　　　　　600.00

［出典：日本 115頁］

グラフ81 原油の生産と輸入

　ウィキペディア「日本の石油・天然ガス資源」によりますと、2016年の場合、日本における石油の生産は、新潟県や秋田県、北海道で51.2万klでした。

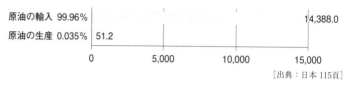

原油の生産と輸入（単位：万kl）

[出典：日本 115頁]

グラフ82 水力発電量の推移

水力発電は、水の落下するエネルギーで電力を発生させる仕組みです。

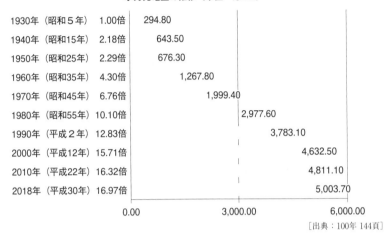

水力発電量の推移（単位：万kw）

1930年（昭和5年）	1.00倍	294.80
1940年（昭和15年）	2.18倍	643.50
1950年（昭和25年）	2.29倍	676.30
1960年（昭和35年）	4.30倍	1,267.80
1970年（昭和45年）	6.76倍	1,999.40
1980年（昭和55年）	10.10倍	2,977.60
1990年（平成2年）	12.83倍	3,783.10
2000年（平成12年）	15.71倍	4,632.50
2010年（平成22年）	16.32倍	4,811.10
2018年（平成30年）	16.97倍	5,003.70

［出典：100年 144頁］

水力発電容量

順位	名称	容量	順位	名称	容量
1位	奥多々良木	193.2万kw	6位	小丸川	120万kw
2位	奥美濃	150万kw	6位	保野川	120万kw
3位	新高瀬川	128万kw	10位	奥只見	56万kw
3位	大河内	128万kw	11位	田子倉	40万kw
5位	奥吉野	120.6万kw	12位	佐久間	35万kw
6位	玉原	120万kw	13位	黒部川第四	33.5万kw
6位	葛野川	120万kw	14位	有峰第一	26.5万kw

［出典：県勢 172頁］

グラフ83 火力発電量の推移

　「がいしの歴史・第四章　日本の電灯事業・発電事業の始まりと広がり」によりますと、「エジソンがウォール街を電灯で照らし始めた翌年の1883年（明治16年）、日本にも東京電灯が設立され、本格的な電気の利用が始まります。実際に電力供給が始まるのは4年後の1887年（明治20年）で、南茅場町に設置された日本最初の火力発電所である第二電灯局（25kw、210V直流3線式架空送電）が運転を開始しました。2022年の今日、火力発電は135年の歴史を有しています。

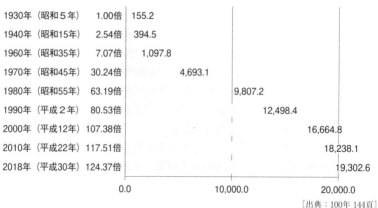

火力発電量の推移（単位：万kw）

1930年（昭和５年）	1.00倍	155.2
1940年（昭和15年）	2.54倍	394.5
1960年（昭和35年）	7.07倍	1,097.8
1970年（昭和45年）	30.24倍	4,693.1
1980年（昭和55年）	63.19倍	9,807.2
1990年（平成２年）	80.53倍	12,498.4
2000年（平成12年）	107.38倍	16,664.8
2010年（平成22年）	117.51倍	18,238.1
2018年（平成30年）	124.37倍	19,302.6

0.0　　　　　　　10,000.0　　　　　　20,000.0

［出典：100年 144頁］

火力発電容量

1位	鹿島	566万kw	**2位**	富津	516万kw
3位	東新潟	481万kw	**4位**	川越（三重県）	480万kw
5位	千葉	438万kw	**6位**	広野	440万kw
7位	姫路第二	412万kw	**8位**	碧南	410万kw
9位	知多	397万kw	**10位**	川崎	342万kw
11位	横浜	354万kw	**12位**	新名古屋	306万kw
13位	新大分	283万kw	**14位**	西名古屋	238万kw

［出典：県勢 172頁］

グラフ84 原子力発電量の推移

　原子力発電量は、1970年の発電量133.6万kwを1.00とした場合、このグラフ中で最大の発電量である2010年の4,896.0kwは、1970年の発電量の36.65倍に相当しましたが、直近の2018年の発電量3,804.2万kwは28.74倍で、発電量は2010年のそれより減少しました。

　2022年8月25日の日経新聞朝刊は、「次世代原発建設を検討　首相、新増設へ転換」との見出しの下、「岸田文雄首相は24日、次世代型の原子力発電所について、開発・建設を検討するよう指示した」と伝えています。この方針が実現すれば、原子力発電量はかなり増加するものと思われます。

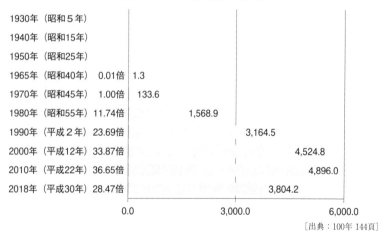

原子力発電量の推移（単位：万kw）

1930年（昭和５年）		
1940年（昭和15年）		
1950年（昭和25年）		
1965年（昭和40年）	0.01倍	1.3
1970年（昭和45年）	1.00倍	133.6
1980年（昭和55年）	11.74倍	1,568.9
1990年（平成２年）	23.69倍	3,164.5
2000年（平成12年）	33.87倍	4,524.8
2010年（平成22年）	36.65倍	4,896.0
2018年（平成30年）	28.47倍	3,804.2

　0.0　　　　　　3,000.0　　　　　　6,000.0

［出典：100年 144頁］

グラフ85 太陽光発電量の推移

　太陽光発電は、ソーラーパネルによる発電方式です。発電時に二酸化炭素を発生させないので環境に優しく、電力発生源としての太陽光は無限に存在しますから、将来の電源として拡大が望まれます。ただ、夜間は発電できず、曇天や雨天の日には、発電量が低下するという欠点もあります。

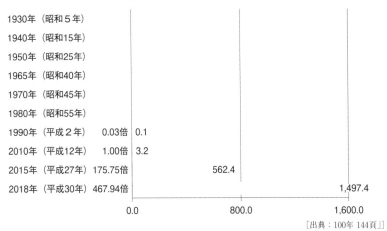

太陽光発電量の推移（単位：万kw）

1930年（昭和５年）		
1940年（昭和15年）		
1950年（昭和25年）		
1965年（昭和40年）		
1970年（昭和45年）		
1980年（昭和55年）		
1990年（平成２年）	0.03倍	0.1
2010年（平成12年）	1.00倍	3.2
2015年（平成27年）	175.75倍	562.4
2018年（平成30年）	467.94倍	1,497.4

0.0　　　　　　　　800.0　　　　　　　1,600.0

［出典：100年 144頁］

読売新聞2022年1月1日の朝刊は、「都2000施設に太陽発電・都営住宅や交番、消防署」との見出しで、東京都が太陽光パネルの設置に関する取組みについて、次の様に伝えています。

①温室効果ガス削減に向けた取り組みであること。

②2022年度から2030年度まで9年をかけて、都営住宅や交番、消防署など2000か所の都有施設に太陽光パネルを設置する。

③初年度だけで100億円の予算を見込む。

　読売新聞2022年4月17日の朝刊「あすへの考」は、太陽光パネルを設置する場合、適地の少なさが高コストに影響するなどの問題点を指摘しています。

設置場所の適地を考える

　日本の鉄道の総延長距離は27,182km（出典：世界鉄道路線の総延長距離ランキング）です。多くの場合、日本の鉄道は盛り土の上を走っており、盛り土の上には草が繁茂している状態です。その様な中で、太陽光パネルの設置に適地と思われる場所も少なからずあるのではないでしょうか。この様な考え方を延長していけば、高速道路にも適地を見出すのは可能だと思われます。

グラフ86 風力発電量の推移

風力発電は、風の力を電力に変える発電方式で、発電機を地上に設置するタイプと洋上に設置するタイプがあります。風力も無尽蔵に存在しますから、この発電方式の拡大も望まれるところです。

風力発電量の推移（単位：万kw）

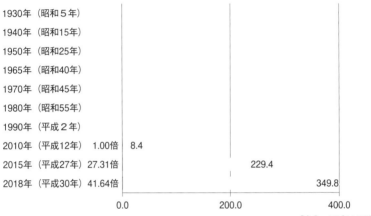

	倍率	値
1930年（昭和5年）		
1940年（昭和15年）		
1950年（昭和25年）		
1965年（昭和40年）		
1970年（昭和45年）		
1980年（昭和55年）		
1990年（平成2年）		
2010年（平成12年）	1.00倍	8.4
2015年（平成27年）	27.31倍	229.4
2018年（平成30年）	41.64倍	349.8

ウィキペディア「地熱発電」によりますと、「地熱発電」は、「地熱」によって生成された水蒸気で発電機を回転させて「電力」を取り出す仕組みです。

2010年、2015年、2018年の3基準年の平均発電量は51.56万kwでした。

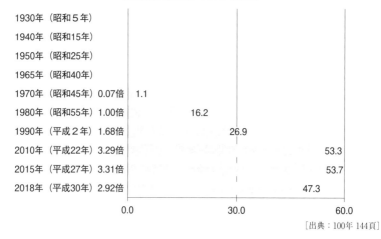

地熱発電量の推移 （単位：万kw）

1930年（昭和5年）		
1940年（昭和15年）		
1950年（昭和25年）		
1965年（昭和40年）		
1970年（昭和45年）0.07倍	1.1	
1980年（昭和55年）1.00倍	16.2	
1990年（平成2年）1.68倍	26.9	
2010年（平成22年）3.29倍		53.3
2015年（平成27年）3.31倍		53.7
2018年（平成30年）2.92倍	47.3	

0.0　　　　　30.0　　　　　60.0

［出典：100年 144頁］

　2021年6月10日10時30分の「市場ニュース」は、日本の地熱発電について次の様に伝えています。

①地熱発電の潜在能力で、日本は世界3位の地熱資源国。

②日本は世界有数の火山国で、地熱発電の潜在的な発電能力は2300万kw。

　この値は、2018年の地熱発電量47.3万kwの48.72倍に相当します。「グラフ88．各種発電量」中の太陽光発電量1497.4万kw程度に発電量を拡大させることができるのではないかと思います。

グラフ88 各種発電量

2018年の場合、火力発電が65%弱を占めていますが、太陽光発電、風力発電、地熱発電を増加させることで、火力発電の割合を低下させることが可能と思われます。

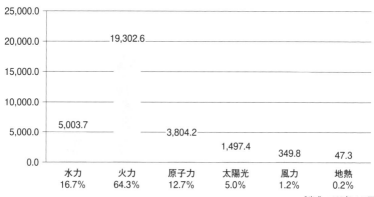

各種発電量（単位：万kw）

[出典：100年 144頁]

電気不足　冬に110万世帯分

　日経新聞2022年6月6日付の朝刊は、「電気不足　冬に110万世帯分　火力閉鎖・動かぬ原発……節電頼み　停電回避へ政策総動員」との見出しで、「日本の電気が足りていない」と伝えています。その様な状態に立ち至った理由を、次に箇条書きします。

①火力発電所の休止が相次ぐ。

②原子力発電所の再稼働が遅れている。

③ロシアからの燃料調達にも不透明感が増している。

電力不足の根本的解決策（私見）

①我が国は海に囲まれています。

②海をエネルギー源として活用します。

③潮流発電、潮汐発電、波力発電、海洋温度差発電など、日本のエネルギー問題を根本的に解決するエネルギー方式の開発に取り組む時です。

第 **9** 章

日本の針路

それ程遠くない近い将来、第1章で見てきました様に、日本の人口は減少します

現在1億2000万人の人口が6000万人に半減したとすれば、そういう状態に立ち至った時に出現するであろう、幾つかの様相を想起することができます。

1　国内総生産の水準を維持することはできない

国内総生産は、一人当たり国民の生産額（これは消費額でもある）に国民の数を乗じて計算することができます。国民の数が半減すれば、生産額を倍にしなければ、国内総生産の水準を維持できません。しかし、国民数半減下では、生産額は半減こそすれ、倍化することは不可能です。ですから、端的に言えば、国民数が半減すれば、国内総生産も半減します。それ故、アメリカ、中国に次いで世界第3位であった日本の国内総生産の順位は、その地位がかなり低下するに違いありません。これは、日本が、国内総生産の増加を目指す経済政策から転換すべきであることを意味します。

2　外需の拡大から内需の拡大に

これまで、日本は外需の拡大、つまり輸出に注力してきました。輸出をするためには、原材料を輸入しなければなりません。輸出額の決済には外貨が使われ、輸入額の決済にも外貨が使われます。貿

易収支は為替相場に振り回されます。日銀は、できる限り日本に有利な為替相場を維持しようと試みますが、思う通りに行かないのが現実です。

　2022年（令和 4 年）4月16日の日経新聞は、為替相場について次の様に伝えています。

　「日本経済に良いとされてきた円安に、企業や家計が悲鳴を上げている。円相場は 1 ドル＝126円台と2002年以来の円安水準に逆戻りした」

　為替相場は相場ですから、時計の振り子の様に、円高になったり円安になったりします。貿易に力を入れていれば、どちらに触れても一喜する側面があれば、同時に一憂する側面もあります。

　それに、輸出を拡大しようとすれば、輸出品について、外国との価格競争に勝たなければなりません。価格競走に勝つためには、価格を切り詰めなければならず、それは、生産性を高め、労務費の低減をはかることで達成されます。労務費を低い水準に保つことは、労働者が低賃金に甘んじなければならないことを意味します。低所得の人々は、消費に回すことのできる資金も少ない状態に止め置かれます。

　「働けど　働けどなお　わが暮らし　楽にならざり　ぢっと手を見る」石川啄木の短歌が頭をよぎります。啄木は1886年（明治19年）に生まれ1912年（明治45年）に他界した不世出の天才歌人ですが、不遇のうちに26歳で他界しました。啄木没後110年、この様な貧苦の人が今なお存在するとすれば、何のための経済政策なのでしょうか。

3　生産性の問題

3-1　生産性を低めよ

　これまで、輸出の拡大を図るために「生産性を高めよう」とのスローガンが掲げられてきました。

　2022年（令和4年）3月17日の日経新聞社説は、「生産性を高める改革で賃金上昇を本物に」との見出しで、生産性について次の様に述べています。「賃金上昇の裾野を広げ、持続的なものにしたい。厚生労働省の調査によると、21年の賃上げ率は1.86％と8年ぶりに2％を割り込んでいた。22年はコロナ禍前の2％まで回復する可能性がある。来年、再来年と賃金上昇の流れを確実にすることが重要だ。それには、主要7か国（G7）で最低の労働生産性を高める改革をする必要がある」

　「高い生産性の確保」で思い浮かぶのは、アメリカの穀倉地帯に見られる小麦の生産方式です。ここでは、一端を中心として円を描く様にパイプが回転しながら給水するセンターピボット灌漑が採用され、植物の育成に必要な人の姿は見られません。収穫もコンバインで行われ、ここで働いているのは、コンバインの運転手と、コンバインが刈り取った小麦を積み込むトラックの運転手だけです。「人々を雇用しないこと」が「生産性を高めること」の意味なのです。

　ここで、アメリカの作家ジョン・スタインベックの小説『怒りの葡萄』が思い出されます。『怒りの葡萄』は、1930年代末に発生した干ばつを契機として、農業の機械化を進める資本家達と貧困農民

の軋轢を描いた小説です。

　オクラホマの自作農であった農民達は、開墾を契機として発生した砂嵐で畑作が不可能となり、仕事がある筈の土地カリフォルニアに向かい、苦労の末に辿り着きますが、そこも既に人手が過剰で、地主の言いなりの低賃金で、日雇い労働をする他に生計を立てる道はなかったのです。資本という経済力で更に資力を積み重ねる資本家。肉体しか元手のないが故に何時までも貧しい下層階級の人々。アメリカは暴力の国だと思いますが、資本こそ立派な暴力の手段なのです。

　『怒りの葡萄』の出版は1939年で、今から80年も前のことですが、2022年（令和４年）５月６日の読売新聞の「岐路の資本主義　米記者6000人消える」と題した記事は、アメリカが資本による暴力の国であることを改めて認識させます。記事の概略は次の通りです。

　「70万人が暮らす米コロラド州の州都デンバー。同市で創刊130年を迎える日刊紙『デンバーポスト』が、経営難を機にニューヨークに拠点を置くヘッジファンド、アンデル・グローバル・キャピタルの傘下に入った。アンデル社は報道を担う編集部門での大幅な人員削減で利益率を上げる手法を取る。こうした経営手法で、18年からの２年間で、全米で約6000人の新聞記者が姿を消し、その結果、紙面の内容は劣化し、信頼できる地域のニュースが得られなくなった。利益を搾り取った上に新聞を殺す。彼らは利益至上主義のハゲタカそのものだ」

　ハゲタカの名誉を守るために言えば、ハゲタカは自らの空腹を癒

し、子育てに必要な肉を得る分以外の何物をも求めません。ハゲタカは、ハゲタカファンドの様なハゲタカでは決してないのです。

アメリカ巨大資本のハゲタカぶりを示す内容の記事が、読売新聞2022年（令和4年）5月5日にも掲載されました。記事の概要は次の通りです。

「広大な平原に牧場が点在するテキサス州北部オルニティ市で肉牛牧場を経営するウィテカーさん。子牛を育て肥育農家に売るのが主な収入源だが、安値で売却を強いられている。米国の食肉加工業界は、大手4社が85％の市場占有率を誇っている。ビック4は、子牛が生まれてから皿に盛られるまでのすべてを管理している。『農家は召使の様なものさ』。小売価格のうち、生産者に還元される割合は、80年頃に62％あったが、最近は37％以下に。下がった分の多くは大手の利益に回ったと見る。バイデン政権は、こうした食肉業界の寡占を問題視し、中小加工場への事業拡大への支援に10億ドルを投じる」

我が国には、ここに記されていた様なハゲタカファンドは存在しないと思いますが、ただ一つあるとすれば、「もの言う株主」がそれに近いでしょう。「もの言う株主」もアメリカ流で、資本の横暴です。「もの言うルール」として、株主総会開催日の3か月前までに、文書で提出することをルール化したらと思います、

人々を雇用しない、人々を働かせない経済は、経済としての存在意義がありません。我が国は、その様な経済に立ち至るべきではありません。

3-2　雇用形態の改悪

　2022年3月22日の日経新聞は、「正社員、最多の3,565万人」の見出しで、被雇用者の状況について伝えています。それによりますと、「正社員として働く人が2021年に3,565万人で過去最高になった。非正規は2,064万人」

　雇用形態として正規と非正規があり、全被雇用者に占める正規と非正規の割合は63.33％と36.66％になります。待遇に違いがないのであれば、正規と非正規を区分する必要はありません。恐らく、非正規は、正規に比べ待遇面で不利な状況に置かれ、そのマイナス面は生涯に渡って現れるでしょう。最大のマイナスは、生活に使うことのできる収入が少ない点だと思います。それは経済にマイナスの作用をします。情けない経済だと思います。

　ところで、上掲の記事は「正社員の増加が目立つのは女性だ。女性は122万人と、過去最多を更新した」とも伝えています。

　女性が働くことで思うのは、子供に対する影響です。子どもは父親より母親を恋しく思うものです。「いて欲しいと思う時に、母親がいてくれる」。それが育てられている子どもが望んでいることです。社会で最も大切なことは、次世代の育成です。「鍵っ子」が意味することは、家に帰って「ただいま」と言った時に、「おかえり」と迎えてくれる母親がいない子どものことなのです。

　2022年1月9日の日経新聞は、「アイスランド、09年の大転換　男女平等が生む活力」との見出しでアイスランドの状況について伝えています。それによりますと、「同国は、女性を積極的に登用す

る社会へと転換を図った。11年以降、実質国内総生産の成長率は平均で3.5％に高まった」

この記事で、二つのことを思いました。一つは、成長率3.5％が「常態化」すれば、それでは満足できなくなり、更にその上を目指すことにならないのでしょうか。一つが常態化する、更にその上をめざした事が常態化する、更に更にその上も常態化する。一つの状態に満足しないのは、無限に「その上の状態」を追い求める経済です。しかし、それは無理な相談です。

3-3　女性の権利と子どもの権利の両立

もう一つの思うことは、「いて欲しい時に母親がいて欲しい」とする「子どもの権利」はどの程度に守られているのでしょうか。

女性が働くことに異議を唱える訳では全くありません。その女性に子どもがいる場合、女性が働きたいと思う気持ちと、その女性の子どもの、「母が側にいて欲しい」と思う気持ちが両立されなければなりません。

鳥は、雌雄で子育てをします。哺乳動物の場合、子どもは母乳を飲むことで育ちますので、子育ての大半を雌が担い、雄の役割は、雌と子どもを守ることです。しかし、この哺乳動物の子育て原則は、日本の場合、何時の間にか失われてしまいました。ただ単に、女性の社会進出がどの程度に進んでいるかの問題ではなく、女性の権利と子どもの権利が完全に両立している社会、それこそ、日本の進むべき道であると思います。

　社会が果たすべき最も大切な役割は、「次世代の健全な育成」です。これは、社会の義務です。これ以上に大切な義務は、社会には存在しません。この義務が履行できる様に、社会はあらゆる手段を講じなければならないと思います。

4　成功体験の罠

　「成功体験の罠」は、「過去にうまくいったからそれをまたしようとするとうまくいかないこと」を意味します。

新聞の見出しを拾います。

　2021年11月18日の日経新聞社説「収益改善を成長につなげよ」

　2021年12月10日の日経新聞記事「成長投資促す政策に解」

　2021年12月10日の日経新聞記事「政府介入の『お仕着せ』賃上げ

　　　　　　　　　　　　　　　　　成長への構造転換阻む」

　2021年12月23日の読売新聞記事「首相『成長戦略 官民で　新し

　　　　　　　　　　　　　　　　　い資本主義』意欲」

　2022年1月1日の日経新聞記事「競走→再挑戦→ 成長の好循環」

　2022年1月9日の読売新聞社説「インフレの抑制で安定成長に」

　これらの見出しで共通しているのは「成長」という概念です。

　近い将来、人口は減少します。

　人口が10％減少した時に、成長1を維持しようとすれば、消費は1.11でなければなりません。　$(1-0.1)\times1.11 \fallingdotseq 1.00$

　消費を今よりも11％増やそうとすれば、何を消費したら良いので

しょう。

　人口が20％減少した時に、成長1を維持しようとすれば、消費は1.25でなければなりません。　（1－0.2）×1.25＝1.00

　人口が30％減少した時に、成長1を維持しようとすれば、消費は1.42でなければなりません。　（1－0.3）×1.47≒1.00

　私達は既に、生活に必要なものを手に入れています。そのうえ、新たに何を消費したら良いのでしょうか。

　経済成長路線は、過去に成功した体験です。しかし、人口減少下の社会では、成長路線はうまくいきません。そうであるのに「成長」を標榜するのであれば、それは「成功体験の罠」に陥っていることを意味するのです。

　人口が減少しつつある経済では「縮小再生産」が、人口減少に歯止めがかかった経済では、「均衡再生産の経済」が目指されるべきだと思います。

5　生産性を低めよう

　生産性を高めるためには、極力、人を雇用しないことが必要になります。雇用されない人は、どの様に生計を立てたら良いのでしょうか。雇用されなければ、生計の立て様がありません。

　経済は、人を存立させるための仕組みです。「人が仕事を分け合って、各自が生計を立てることができる」。それが、経済に求められ

る仕組みです。そして、それは生産性を低めることによってのみ達成されます。

　「生産性を高めよう」とする考え方は、「成功体験の罠」に陥っているのです。

6　終身雇用制に立ち帰ろう

　我が国では、かつて「終身雇用制」が採用されていました。「終身雇用制」は、能力の如何に関わらず、年功とともに、やがて収入が増えていく仕組みでした。「終身雇用制」は、外国との競走に勝つために放棄されました。

　外国との競走原理が作用する経済では、外国との競争に勝つために、生産性を高める必要がありました。競争原理が作用する状況での待遇は、能力の高い者が、能力の低い者より、より多額の収入を得ていました。能力の低い人は、常に能力の高い人より、より少ない収入で遇されました。つまり、能力の高い人はより多額の収入を得、能力の低い人は、能力の高い人よりより少ない収入下に置かれることになりました。より能力が低いと判定された人々のその様な収入状況では、生活にゆとりを見出すことはできません。「子どもの貧困」が問題視されていますが、その発因はここにあります。

　「終身雇用制」は、能力の如何にかかわらず、やがて収入が増えていく仕組みですから、所得分配として公平な仕組みです。かつて採用されていた公平な分配の仕組みに、我が国は立ち返らなければ

ならないと思います。

7　領土と領海

　我が国の人口は、これまで見て来ました様に、半減します。それ
は、1億2000万人の人々を生存せしめていた国土が、6000万人を生
存させる国土に変わることを意味します。将来世代の一人あたり国
土面積は、現存する世代よりその面積が広いのです。

　我が国は海で囲まれ、地続きの国境がない国です。しかし、国際
法的に海にも国境が定められています。

　「領海」は、基準となる海岸線である基線（領海などの範囲を決
めるための仮想の線で、通常は低潮線が用いられる）から海へ12海
里（1海里は1852m）22km224mでの海域を指します。

　「接続海域」は、基線から海へ24海里（44km4484m）までの海域
を指し、密輸や不法入国などを阻止するための規制を加えることの
できる海域です。

　「排他的経済水域」は、水産資源や鉱物資源などを日本の支配下
に置くことのできる海域を指します。日本の排他的経済水域は国土
面積の11.8倍の447万km^2で、世界6位の広さです。

　内陸国には、排他的経済水域は存在しません。我が国は、447万
km^2もの広大な排他的経済水域を有しています。そのうえ、海では
階層構造を認識することができます。水深10mの海が447万km^2、水
深100mの海が447万km^2、水深1000mの海が447万km^2等々。それぞ

れの深さには、それぞれ固有の漁業資源が存在するでしょう。そして海底には、海底資源が。

8　内需で完結する経済の構築を

　我が国の歴史の中で、外国との貿易に取り組んだのは大変短い期間だけで、大半の時間は、国内で生産したものを国内で消費する内需経済でした。

　衣食住と言いますが、食は、農家で生産した農産物や漁師が漁獲した海産物で食の需要を満たしました。住では、桧や杉で家の骨格を作り、木材や竹で家の内装を工夫しました。衣では、木綿や麻、絹で織物を作り、衣装を賄っていました。

　先人が培った知識に私達の新しい知見が加われば、外国からの影響を遮蔽した、それこそ日本人らしい生活を築いていくことができると思います。一度に生活様式を切り替えることはできませんが、徐々にその様な方向への転換が図られるべきだと思います。

第10章

人口集中地と過疎地解消の問題

田園都市国家構想

　2021年（令和3年）12月29日の読売新聞朝刊は、「田園都市国家構想過疎地で採算見えず」との見出しの下で、岸田首相が掲げる地方活性化策「デジタル田園都市国家構想の全体像を示した」と伝えています。その内容を要約して次に記します。

①金子総務相は28日の閣議後記者会見で、「構想の実現には、デジタルの都市と地方での一体的な整備が不可欠だ。携帯事業者に5G（＝大容量高速通信）を積極的に行っていただく」と述べた。現在は3割程度に留まる5Gのカバー率を2023年度までにに9割に引き上げる方針だ。

②政府は構想の実現に向け、21年度補正予算と22年度当初予算で総額5.7兆円を投入する。

1．総務省の21年の情報通信白書

①総務省の21年の情報通信白書によりますと、スマホなどを「よく利用する」のは、60歳代で5割、70歳代以上は2割に留まる。

2．総務省「第1部　5Gが促すデジタル変革と新たな日常の構築」

　総務省「第1部　5Gが促すデジタル変革と新たな日常の構築」の記述内容を、次に要約します。

①家計の移動通信電話料は2019年で10万3446円です。

②我が国におけるインターネットの利用は、パソコンからモバイル
　端末へ移行した（パソコンは1台20万円前後、5Gスマートフォ
　ンは1台3万円から5万円。より高い物の販売が減少し、より安
　い物がそれに代替した）。

3．私的見解：

「田園都市構想」が経済成長の要因たり得るかは疑問に思います。

問題の所在：人口集中地と過疎地の存在

　以下では、グラフ99からグラフ107を参照しながら、我が国の人
口集中地と過疎地の解消の問題に取り組んでいきたいと思います。

　我が国には、人口の集中した地域と過疎化が進んだ地域があるこ
とは、国民の誰もが知っていることではないでしょうか。
　県勢第30判358頁によりますと、人口集中地域と過疎地域につい
て、次の様に定義しています。

人口集中地

①都市的地域の特性を明らかにする統計上の地域単位として、1960
　年（昭和35年）国勢調査から新たに設定された。

②市区町村の境域内で、人口密度1km^{2}当たり4000人以上の調査区

域が隣接し、それらの地域の人口が5000人以上を有するもの。

過疎地

①一部の区域のみが過疎地とみなされている市町村は、その区域の人口、面積に基づいて集計されている。

過疎

①「過疎」とは、人口が急激かつ大幅に減少したため、地域社会の機能が低下し、住民が一定の生活水準を維持することが困難になった状態。

　近い将来、我が国の人口は大幅に減少します。人口集中地と過疎地で、どちらの人口がより多く減少するかを考えれば、多くの人は、「過疎地の人口の減少が人口集中地の人口の減少より大きい」と考えるのではないでしょうか。

　政策的に何も手を打たなければ、当然そうなるでしょう。それは、日本という国家にとっての大きな損失となる筈です。

2015年における3区分地人口

2015年の総人口	1億2709万5000人	100.00%
2015年の人口集中地人口	8687万8000人	68.35%
2015年の過疎地人口	1028万8000人	8.09%
中間地人口（集中地でも過疎地でもない人口）		

2992万9000人　　23.54％

総人口の減少傾向

　本著「第1章　日本の人口問題」中「グラフ2．総人口の推移」
によりますと、「2020年の日本の総人口は1億2486万4000人」です
が、2020年から30年後の「2050年の予測総人口は1億43万5000人」
で、それは2020年の人口の80.4％になります。別の言い方をすれば、
30年後には、2020年より人口が2442万9000人減少すると予測されて
います。

人口集中地人口、過疎地人口、中間地人口

　直上で見ました様に、人口集中地に8687万8000人（総人口の
68.35％）が居住し、過疎地に1028万8000人（総人口の8.09％）が居
住し、人口集中地でも過疎地でもない中間地に2992万9000人（総人
口の23.54％）が居住しています。

　経済成長下では、この様な居住の不均衡も容認されるでしょう。
しかし今後は、人口が減少し、国全体としての経済成長が全く期待
できない状況の下では、この問題は、解決されるべき日本の課題と
なるに違いありません。この状況を放置すれば、過疎地は一層過疎
地となって、人が住めない状態になり、森林も畑も漁場資源の確保
も難しくなります。以下で、この問題の解決策を模索することにし
ます。

差別税率の設定による人口集中地と過疎地の解消

　30年後の2050年を目安に、中間地の所得税、法人所得税、固定資産税を標準税率とし、人口集中地のそれらを中間地の５倍、過疎地のそれらを標準地の５分の１とすれば、人口集中地の税は過疎地の25倍、過疎地の税は人口集中地の税の25分の１になります。

　この様に、居住地の如何で税率に差を設ければ、人口集中地に居住している人の相当数は過疎地に移住するでしょう。中間地に居住している人の相当数も過疎地に移住するでしょう。

　人口集中地の居住者を強制的に過疎地に移住させることはできませんが、税率で差を設ける方法は、強制するものではなく、選択するものです。将来を見据えて、人口集中地から過疎地へ移住するための判断材料として、次の３種のグラフも提示しておきました。

　グラフ95．都道府県別住宅数

　グラフ96．都道府県別空き家数

　グラフ97．都道府県別空き家率

グラフ89 都道府県別人口集中地人口

　2015年における人口集中地に居住する人口の総数は8687万8000人で、47都道府県の平均は184.8万人でした。東京都は、1329万5000人が人口集中地に居住しているのに対し、島根県の人口集中地人口は16.8万人で、東京都の人口集中地居住人口は、島根県のそれの79.1倍に相当します。

都道府県別人口集中地人口（単位：万人）

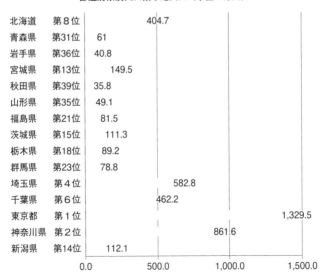

北海道	第8位	404.7
青森県	第31位	61
岩手県	第36位	40.8
宮城県	第13位	149.5
秋田県	第39位	35.8
山形県	第35位	49.1
福島県	第21位	81.5
茨城県	第15位	111.3
栃木県	第18位	89.2
群馬県	第23位	78.8
埼玉県	第4位	582.8
千葉県	第6位	462.2
東京都	第1位	1,329.5
神奈川県	第2位	861.6
新潟県	第14位	112.1

0.0　　　500.0　　　1,000.0　　　1,500.0

県	順位	値
富山県	第37位	40.3
石川県	第32位	59.4
福井県	第40位	34.6
山梨県	第44位	26.1
長野県	第26位	71.9
岐阜県	第24位	77.6
静岡県	第10位	221.6
愛知県	第5位	580.2
三重県	第22位	78.9
滋賀県	第27位	70.2
京都府	第11位	218.1
大阪府	第3位	845.6
兵庫県	第7位	429.9
奈良県	第19位	88.4
和歌山県	第38位	35.9
鳥取県	第46位	21.2
島根県	第47位	16.8
岡山県	第17位	89.7
広島県	第12位	183.4
山口県	第28位	69.1
徳島県	第45位	24.7
香川県	第41位	31.8
愛媛県	第25位	73.3
高知県	第42位	31.7
福岡県	第9位	369.3
佐賀県	第43位	26.2
長崎県	第30位	66.1
熊本県	第20位	85.4
大分県	第33位	55.1
宮崎県	第34位	50.9
鹿児島県	第29位	66.3
沖縄県	第16位	97.2

0.0　　　500.0　　　1,000.0　　　1,500.0

［出典：県勢 140頁］

グラフ90 都道府県別過疎地人口

　2015年における過疎地に居住する人口の総数は1028万8000人で、47都道府県の平均は23.0万人でした。2015年の総人口1億2709万5000人を100%とすれば、人口集中地の人口8687万8000人は68.35%に相当し、過疎地の人口1028万8000人は8.09%に相当し、中間地の人口2992.9万人は23.54%に相当します。

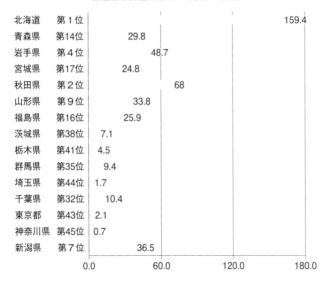

都道府県別過疎地人口（単位：万人）

北海道	第1位	159.4
青森県	第14位	29.8
岩手県	第4位	48.7
宮城県	第17位	24.8
秋田県	第2位	68
山形県	第9位	33.8
福島県	第16位	25.9
茨城県	第38位	7.1
栃木県	第41位	4.5
群馬県	第35位	9.4
埼玉県	第44位	1.7
千葉県	第32位	10.4
東京都	第43位	2.1
神奈川県	第45位	0.7
新潟県	第7位	36.5

0.0　　　60.0　　　120.0　　　180.0

富山県	第30位	11.5		
石川県	第27位	13.1		
福井県	第40位	5.9		
山梨県	第39位	6.5		
長野県	第23位	16.7		
岐阜県	第25位	14.2		
静岡県	第37位	7.6		
愛知県	第42位	4.0		
三重県	第29位	11.5		
滋賀県	第46位	0.5		
京都府	第24位	14.8		
大阪府	第46位	0.5		
兵庫県	第20位	19.5		
奈良県	第26位	13.2		
和歌山県	第18位	24.6		
鳥取県	第36位	7.8		
島根県	第11位	32.8		
岡山県	第13位	31.6		
広島県	第15位	29.7		
山口県	第22位	18.2		
徳島県	第28位	11.6		
香川県	第34位	9.9		
愛媛県	第10位	33.5		
高知県	第19位	19.7		
福岡県	第5位	47.9		
佐賀県	第31位	11.0		
長崎県	第12位	32.6		
熊本県	第8位	35.7		
大分県	第6位	45.5		
宮崎県	第21位	18.2		
鹿児島県	第3位	60.1		
沖縄県	第33位	10.1		

0.0   60.0   120.0   180.0

［出典：県勢 141頁］

グラフ91 都道府県別人口集中地面積

　2015年における人口集中地の総面積は12,650km²で、47都道府県の平均は269km²でした。我が国の総面積は378,000km²ですから、人口集中地の総面積12,650km²は総面積の3.39％に過ぎません。

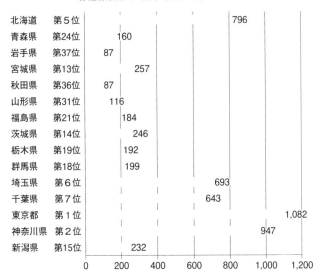

都道府県別人口集中地面積（単位：km²）

北海道	第5位	796
青森県	第24位	160
岩手県	第37位	87
宮城県	第13位	257
秋田県	第36位	87
山形県	第31位	116
福島県	第21位	184
茨城県	第14位	246
栃木県	第19位	192
群馬県	第18位	199
埼玉県	第6位	693
千葉県	第7位	643
東京都	第1位	1,082
神奈川県	第2位	947
新潟県	第15位	232

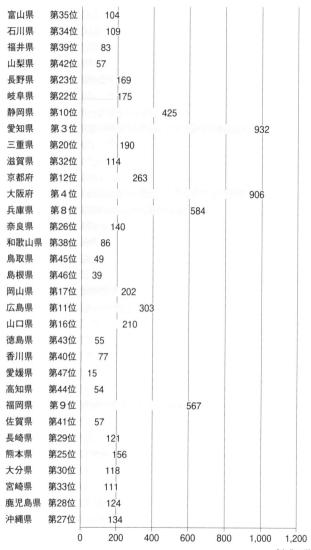

富山県	第35位	104
石川県	第34位	109
福井県	第39位	83
山梨県	第42位	57
長野県	第23位	169
岐阜県	第22位	175
静岡県	第10位	425
愛知県	第3位	932
三重県	第20位	190
滋賀県	第32位	114
京都府	第12位	263
大阪府	第4位	906
兵庫県	第8位	584
奈良県	第26位	140
和歌山県	第38位	86
鳥取県	第45位	49
島根県	第46位	39
岡山県	第17位	202
広島県	第11位	303
山口県	第16位	210
徳島県	第43位	55
香川県	第40位	77
愛媛県	第47位	15
高知県	第44位	54
福岡県	第9位	567
佐賀県	第41位	57
長崎県	第29位	121
熊本県	第25位	156
大分県	第30位	118
宮崎県	第33位	111
鹿児島県	第28位	124
沖縄県	第27位	134

0　　200　　400　　600　　800　　1,000　　1,200

［出典：県勢 140 頁］

グラフ92 都道府県別過疎地面積

　2015年の過疎地の総面積は2257470km²で、47都道府県の平均は4797.2km²でした。我が国の総面積は378000km²ですから、過疎地の総面積225,470km²は、日本の総面積の59.72％に相当します。

都道府県別過疎地面積（単位：km²）

北海道	第1位	65,422
青森県	第9位	6,073
岩手県	第2位	10,825
宮城県	第22位	3,389
秋田県	第3位	10,743
山形県	第8位	6,561
福島県	第4位	7,322
茨城県	第39位	942
栃木県	第38位	1,155
群馬県	第20位	3,509
埼玉県	第43位	564
千葉県	第42位	655
東京都	第44位	510
神奈川県	第47位	7
新潟県	第6位	7,005

0　　20,000　　40,000　　60,000　　80,000

富山県	第36位	1,207
石川県	第28位	2,186
福井県	第33位	1,743
山梨県	第30位	2,151
長野県	第7位	6,614
岐阜県	第10位	5,969
静岡県	第32位	1,869
愛知県	第35位	1,383
三重県	第28位	2,293
滋賀県	第45位	333
京都府	第27位	2,314
大阪府	第46位	37
兵庫県	第26位	2,789
奈良県	第24位	2,839
和歌山県	第19位	3,570
鳥取県	第31位	1,981
島根県	第11位	5,731
岡山県	第16位	4,932
広島県	第14位	5,364
山口県	第21位	3,457
徳島県	第23位	3,004
香川県	第41位	691
愛媛県	第18位	3,700
高知県	第12位	5,655
福岡県	第34位	1,735
佐賀県	第40位	799
長崎県	第25位	2,831
熊本県	第15位	4,937
大分県	第13位	5,544
宮崎県	第17位	4,808
鹿児島県	第5位	7,123
沖縄県	第37位	1,199

0   20,000   40,000   60,000   80,000

［出典：県勢 140頁］

グラフ93 都道府県別人口集中地人口密度

　2015年における47都道府県の人口集中地人口密度の平均は5,443.4人でした。1位の東京都の人口密度は、47位群馬県の人口密度の4.02倍に相当します。

都道府県別人口集中地人口密度（単位：1人/km²）

北海道	第21位	5,086
青森県	第45位	3,815
岩手県	第24位	4,687
宮城県	第15位	5,815
秋田県	第43位	4,127
山形県	第38位	4,226
福島県	第34位	4,424
茨城県	第30位	4,528
栃木県	第26位	4,644
群馬県	第47位	3,050
埼玉県	第4位	8,416
千葉県	第8位	7,186
東京都	第1位	12,285
神奈川県	第3位	9,101
新潟県	第22位	4,825

0　　4,000　　8,000　　12,000　　16,000

富山県	第44位	3,875
石川県	第18位	5,440
福井県	第41位	4,154
山梨県	第29位	4,577
長野県	第37位	4,258
岐阜県	第32位	4,443
静岡県	第20位	5,221
愛知県	第11位	6,226
三重県	第40位	4,161
滋賀県	第12位	6,164
京都府	第5位	8,283
大阪府	第2位	9,328
兵庫県	第6位	7,366
奈良県	第10位	6,304
和歌山県	第39位	4,177
鳥取県	第36位	4,303
島根県	第35位	4,360
岡山県	第33位	4,436
広島県	第13位	6,061
山口県	第46位	3,288
徳島県	第31位	4,484
香川県	第42位	4,137
愛媛県	第23位	4,803
高知県	第14位	5,841
福岡県	第9位	6,518
佐賀県	第27位	4,609
長崎県	第17位	5,464
熊本県	第16位	5,470
大分県	第25位	4,679
宮崎県	第28位	4,593
鹿児島県	第19位	5,361
沖縄県	第7位	7,242

0   4,000   8,000   12,000   16,000

[出典：県勢 140頁]

グラフ94 都道府県別過疎地人口密度

　2015年に於ける過疎地の人口密度の47都道府県の平均は86.9人でした。神奈川県の値が非常に大きくなっていますが、これは、神奈川県の過疎地面積が7km^{2}であるのに対し、過疎地人口が0.7万人であることによります。

＊0.7万人／7km^2≒1,042人

都道府県別過疎地人口密度（単位：1km^{2}当たり人）

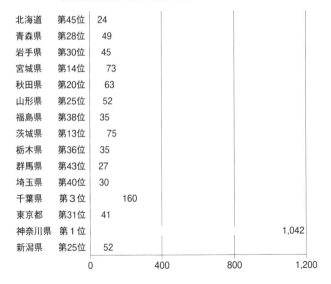

北海道	第45位	24
青森県	第28位	49
岩手県	第30位	45
宮城県	第14位	73
秋田県	第20位	63
山形県	第25位	52
福島県	第38位	35
茨城県	第13位	75
栃木県	第36位	35
群馬県	第43位	27
埼玉県	第40位	30
千葉県	第3位	160
東京都	第31位	41
神奈川県	第1位	1,042
新潟県	第25位	52

0　　　400　　　800　　　1,200

富山県	第8位	95
石川県	第21位	60
福井県	第39位	34
山梨県	第40位	30
長野県	第44位	25
岐阜県	第45位	24
静岡県	第31位	41
愛知県	第42位	29
三重県	第27位	50
滋賀県	第47位	15
京都府	第18位	64
大阪府	第4位	144
兵庫県	第16位	70
奈良県	第29位	46
和歌山県	第17位	69
鳥取県	第33位	39
島根県	第22位	57
岡山県	第18位	64
広島県	第23位	55
山口県	第24位	53
徳島県	第33位	39
香川県	第5位	143
愛媛県	第9位	91
高知県	第36位	35
福岡県	第2位	276
佐賀県	第6位	138
長崎県	第7位	133
熊本県	第15位	72
大分県	第12位	82
鹿児島県	第10位	84
沖縄県	第10位	84

0　　　　　　400　　　　　　800　　　　　1,200

［出典：県勢 14頁］

グラフ95 都道府県別住宅数

　2018年における住宅の総数は6242万戸で、47都道府県の平均は132.8万戸でした。

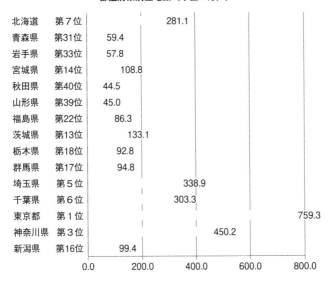

都道府県別住宅数（単位：万戸）

北海道	第7位	281.1
青森県	第31位	59.4
岩手県	第33位	57.8
宮城県	第14位	108.8
秋田県	第40位	44.5
山形県	第39位	45.0
福島県	第22位	86.3
茨城県	第13位	133.1
栃木県	第18位	92.8
群馬県	第17位	94.8
埼玉県	第5位	338.9
千葉県	第6位	303.3
東京都	第1位	759.3
神奈川県	第3位	450.2
新潟県	第16位	99.4

0.0　　200.0　　400.0　　600.0　　800.0

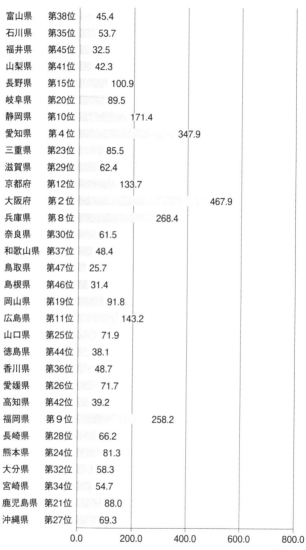

富山県	第38位	45.4
石川県	第35位	53.7
福井県	第45位	32.5
山梨県	第41位	42.3
長野県	第15位	100.9
岐阜県	第20位	89.5
静岡県	第10位	171.4
愛知県	第4位	347.9
三重県	第23位	85.5
滋賀県	第29位	62.4
京都府	第12位	133.7
大阪府	第2位	467.9
兵庫県	第8位	268.4
奈良県	第30位	61.5
和歌山県	第37位	48.4
鳥取県	第47位	25.7
島根県	第46位	31.4
岡山県	第19位	91.8
広島県	第11位	143.2
山口県	第25位	71.9
徳島県	第44位	38.1
香川県	第36位	48.7
愛媛県	第26位	71.7
高知県	第42位	39.2
福岡県	第9位	258.2
長崎県	第28位	66.2
熊本県	第24位	81.3
大分県	第32位	58.3
宮崎県	第34位	54.7
鹿児島県	第21位	88.0
沖縄県	第27位	69.3

0.0　　　200.0　　　400.0　　　600.0　　　800.0

[出典：県勢 316頁]

グラフ96 都道府県別空き家数

　2018年における空き家の総数は846.0万戸で、47都道府県の平均は18.0万戸でした。東京都は住宅戸数が多いので、空き家の数も多くなっています。

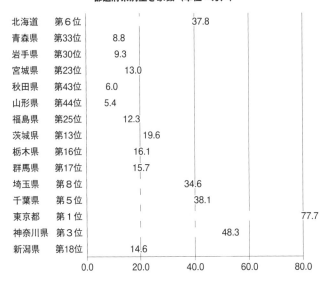

都道府県別空き家数（単位：万戸）

北海道	第6位	37.8
青森県	第33位	8.8
岩手県	第30位	9.3
宮城県	第23位	13.0
秋田県	第43位	6.0
山形県	第44位	5.4
福島県	第25位	12.3
茨城県	第13位	19.6
栃木県	第16位	16.1
群馬県	第17位	15.7
埼玉県	第8位	34.6
千葉県	第5位	38.1
東京都	第1位	77.7
神奈川県	第3位	48.3
新潟県	第18位	14.6

0.0　　20.0　　40.0　　60.0　　80.0

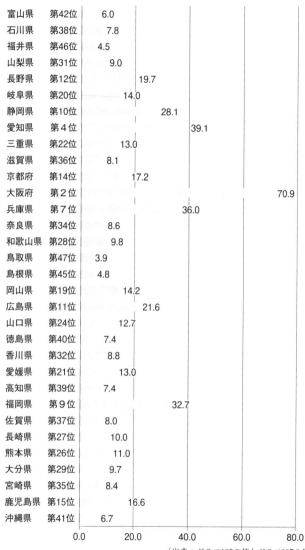

富山県	第42位	6.0
石川県	第38位	7.8
福井県	第46位	4.5
山梨県	第31位	9.0
長野県	第12位	19.7
岐阜県	第20位	14.0
静岡県	第10位	28.1
愛知県	第4位	39.1
三重県	第22位	13.0
滋賀県	第36位	8.1
京都府	第14位	17.2
大阪府	第2位	70.9
兵庫県	第7位	36.0
奈良県	第34位	8.6
和歌山県	第28位	9.8
鳥取県	第47位	3.9
島根県	第45位	4.8
岡山県	第19位	14.2
広島県	第11位	21.6
山口県	第24位	12.7
徳島県	第40位	7.4
香川県	第32位	8.8
愛媛県	第21位	13.0
高知県	第39位	7.4
福岡県	第9位	32.7
佐賀県	第37位	8.0
長崎県	第27位	10.0
熊本県	第26位	11.0
大分県	第29位	9.7
宮崎県	第35位	8.4
鹿児島県	第15位	16.6
沖縄県	第41位	6.7

0.0　　　20.0　　　40.0　　　60.0　　　80.0

［出典：グラフ105の値とグラフ107の値から計算］

グラフ97 都道府県別空き家率

　2018年における空き家率の47都道府県平均は14.9％でした、空き家率が高いのは、山梨県や和歌山県、長野県の様な地方型の都道府県でした。

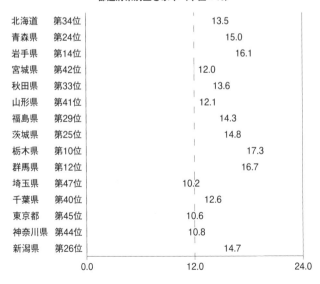

都道府県別空き家率（単位：%）

北海道	第34位	13.5
青森県	第24位	15.0
岩手県	第14位	16.1
宮城県	第42位	12.0
秋田県	第33位	13.6
山形県	第41位	12.1
福島県	第29位	14.3
茨城県	第25位	14.8
栃木県	第10位	17.3
群馬県	第12位	16.7
埼玉県	第47位	10.2
千葉県	第40位	12.6
東京都	第45位	10.6
神奈川県	第44位	10.8
新潟県	第26位	14.7

0.0　　　　　12.0　　　　　24.0

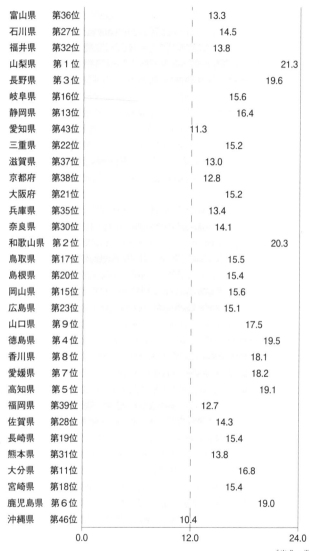

富山県	第36位	13.3
石川県	第27位	14.5
福井県	第32位	13.8
山梨県	第1位	21.3
長野県	第3位	19.6
岐阜県	第16位	15.6
静岡県	第13位	16.4
愛知県	第43位	11.3
三重県	第22位	15.2
滋賀県	第37位	13.0
京都府	第38位	12.8
大阪府	第21位	15.2
兵庫県	第35位	13.4
奈良県	第30位	14.1
和歌山県	第2位	20.3
鳥取県	第17位	15.5
島根県	第20位	15.4
岡山県	第15位	15.6
広島県	第23位	15.1
山口県	第9位	17.5
徳島県	第4位	19.5
香川県	第8位	18.1
愛媛県	第7位	18.2
高知県	第5位	19.1
福岡県	第39位	12.7
佐賀県	第28位	14.3
長崎県	第19位	15.4
熊本県	第31位	13.8
大分県	第11位	16.8
宮崎県	第18位	15.4
鹿児島県	第6位	19.0
沖縄県	第46位	10.4

0.0   12.0   24.0

［出典：県勢 316頁］

220

第**11**章

教育による次世代育成の
問題

宿題　　亀岡由奈（松山市・愛媛大教育学部付属小5年）
　　　　　先生‼
　　　　　毎日毎日
　　　　　宿題多すぎです‼
　　　　　へらして下さい
　　　　　毎日毎日
　　　　　つかれます‼
　　　　　宿題きらい‼
　　　　　　　　　　　　読売新聞 こどもの詩　2022年5月6日掲載

ねがい　原田真衣（富山市・連星小4年）
　　　　　この世から
　　　　　なくなってほしいもの
　　　　　コロナ
　　　　　せんそう
　　　　　宿題
　　　　　　　　　　　　読売新聞　こどもの詩　2022年7月3日掲載

　　次世代の育成に最も力を入れた古代ギリシャ世界の国に「スパルタ」がありました。デジタル大辞泉によりますと、「スパルタ教育」は、「兵士養成のために、幼児期から厳しい軍事訓練や教育を行ったこと」を指します。

　いずれの社会でも、いずれの時代でも、その社会にとって最も大切なことは、次世代の育成にあります。

　育成されるべき次世代は、「当たり前のことを、当たり前にすることのできる普通の人」であって、エリートや国を率いていこうとする人材の育成ではありません。

　日本人の大半は、「当たり前のことを、当たり前にすることのできる普通の人」で、これらの人々が、社会を支えています。この様な人材の存在は、教育の成果と考えられます。他方で、親の貧困が子どもの貧困に繋がり、貧困下の子どもには、十分に学習する機会が必ずしも与えられていません。この様な状態をどの様に解消したら良いのか、考えてみました。

　「子どもの詩」に掲載された2人の小学生は、「宿題が嫌い」と訴えています。これは、就学児童や生徒の誰にも共通する思いではないでしょうか。

　私は、午後3時に通常の学習が終了したら、30分程の「おやつ」の時間を設け、子供達の好きそうなおやつで小腹を満たさせ、3時半頃から5時まで、宿題や予習の時間に充てるのが良いのではないか考えています。この場合、教室には、時間的に余裕のある先生や退職した先生、塾の講師、大学生などが何人か入って、子供達が困っている点について、どこから分からなくなったのかを考え、そこに立ち至って説明することで、子供の理解を図る様にします。つまずいた点を理解できれば、子ども達は更にその先に進むことができます。

学校にいる間、子ども達が学習に専念すれば、後の時間は勉強のことをすっかり忘れ、自分のしたいことに時間を使うことができる様になります。勉強に関して心に何の気がかりもない状態は、その時していることに対する喜びを倍加させるでしょう

　くどくどと書きました。ここで言いたいことは、学校に自習の時間を設け、学習は学校にいる間に完結する仕組みを作ったらどうかという提案です。

「こども家庭庁設置法」成立

　2022年6月16日の読売新聞朝刊は、「安定財源確保課題に　こども家庭庁4月創設」との見出しの下で、「こども家庭庁」が設置されることになった」と伝えています。その内容を要約して記します。

①「こども家庭庁」は、各省庁にまたがるこども関連部局を集約し、縦割り行政の解消を図るのが狙い。

②政府は、来年4月の創設に向けた準備を加速させる。

③同庁は、内閣府の外局となり、他省への勧告権を持つ専任閣僚と長官を置く。

④300人以上の体制で、民間からも人材を登用。

⑤重要事項を審議する「こども家庭審議会」を設置する。

⑥こどもから意見を聴取する取組みも検討する。

　「こども家庭庁設置法」の成立で、日本の子ども達は、法がない場合に比べ、より良い状態に置かれることになると思います。

　さてここでは、小学生の人数や小学校の数、小学校の教員数、並びに、中学生の人数や中学校の数、中学校の教員数を都道府県別に次掲の様にグラフ表示し、併せて、都道府県別の教育費も掲示して、義務教育の問題を考えてみたいと思います。

グラフ98 2019年における小学生数

　2019年における小学生の総数は6,364,990人でした。都道府県別に小学生の人数を見た場合、東京都や神奈川県、大阪府などの人口の多い都道府県の人数が多く、鳥取県や高知県などの人口の少ない都道府県の小学生数が少ない傾向があります。

小学生数（単位：人）

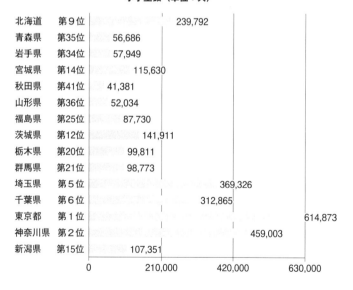

北海道	第9位	239,792
青森県	第35位	56,686
岩手県	第34位	57,949
宮城県	第14位	115,630
秋田県	第41位	41,381
山形県	第36位	52,034
福島県	第25位	87,730
茨城県	第12位	141,911
栃木県	第20位	99,811
群馬県	第21位	98,773
埼玉県	第5位	369,326
千葉県	第6位	312,865
東京都	第1位	614,873
神奈川県	第2位	459,003
新潟県	第15位	107,351

富山県	第38位	49,847	
石川県	第32位	58,793	
福井県	第42位	41,062	
山梨県	第43位	35,951	
長野県	第17位	105,871	
岐阜県	第16位	106,404	
静岡県	第10位	190,302	
愛知県	第 4 位		414,038
三重県	第23位	93,515	
滋賀県	第26位	81,817	
京都府	第13位	123,493	
大阪府	第 3 位		433,013
兵庫県	第 7 位	287,019	
奈良県	第29位	68,361	
和歌山県	第39位	45,438	
鳥取県	第47位	28,569	
島根県	第45位	34,115	
岡山県	第19位	100,129	
広島県	第11位	150,797	
山口県	第30位	67,363	
徳島県	第44位	35,153	
香川県	第37位	50,707	
愛媛県	第28位	68,622	
高知県	第46位	32,428	
福岡県	第 8 位	282,012	
佐賀県	第40位	45,085	
長崎県	第27位	70,472	
熊本県	第22位	97,724	
大分県	第33位	58,588	
宮崎県	第31位	61,174	
鹿児島県	第24位	90,463	
沖縄県	第18位	101,550	

0　　　　　210,000　　　　420,000　　　　630,000

［出典：県勢 323頁］

グラフ99 2019年における小学校数

　2019年における小学校の総数は19,739校でした。小学生数で9位であった北海道の学校数は2位でした。これは北海道が広いことに由来すると思います。

　なお、東京都の小学校1校当たりの人数が459.8人であったのに対し、鳥取県のそれは234.1人ですから、東京都の1校当たり人数は、鳥取県のそれの1.96倍（≒2倍）に相当します。

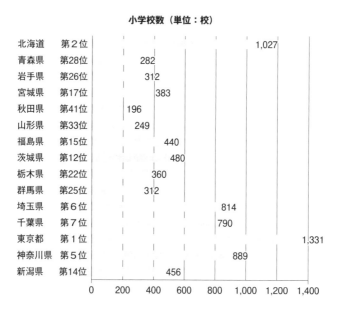

小学校数（単位：校）

都道府県	順位	校数
北海道	第2位	1,027
青森県	第28位	282
岩手県	第26位	312
宮城県	第17位	383
秋田県	第41位	196
山形県	第33位	249
福島県	第15位	440
茨城県	第12位	480
栃木県	第22位	360
群馬県	第25位	312
埼玉県	第6位	814
千葉県	第7位	790
東京都	第1位	1,331
神奈川県	第5位	889
新潟県	第14位	456

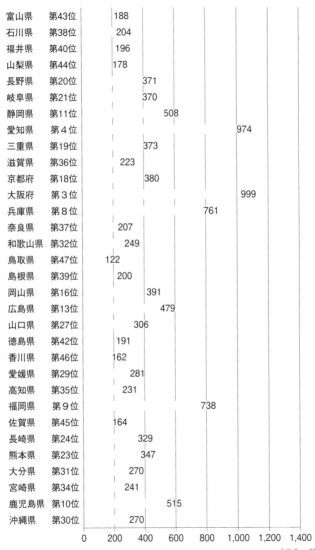

県名	順位	値
富山県	第43位	188
石川県	第38位	204
福井県	第40位	196
山梨県	第44位	178
長野県	第20位	371
岐阜県	第21位	370
静岡県	第11位	508
愛知県	第4位	974
三重県	第19位	373
滋賀県	第36位	223
京都府	第18位	380
大阪府	第3位	999
兵庫県	第8位	761
奈良県	第37位	207
和歌山県	第32位	249
鳥取県	第47位	122
島根県	第39位	200
岡山県	第16位	391
広島県	第13位	479
山口県	第27位	306
徳島県	第42位	191
香川県	第46位	162
愛媛県	第29位	281
高知県	第35位	231
福岡県	第9位	738
佐賀県	第45位	164
長崎県	第24位	329
熊本県	第23位	347
大分県	第31位	270
宮崎県	第34位	241
鹿児島県	第10位	515
沖縄県	第30位	270

0　200　400　600　800　1,000　1,200　1,400

［出典：県勢 324頁］

グラフ100 2019年における小学校教員数

　2019年における小学校教員の総数は421,935人でした。小学校教員数でも、東京都や大阪府などのような大都会を包含する都道府県の人数が多く、逆に、鳥取県や島根県、高知県、徳島県など地方の県の人数が少なくなっています。

小学校教員数（単位：人）

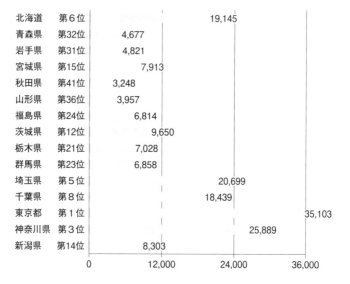

北海道	第6位	19,145
青森県	第32位	4,677
岩手県	第31位	4,821
宮城県	第15位	7,913
秋田県	第41位	3,248
山形県	第36位	3,957
福島県	第24位	6,814
茨城県	第12位	9,650
栃木県	第21位	7,028
群馬県	第23位	6,858
埼玉県	第5位	20,699
千葉県	第8位	18,439
東京都	第1位	35,103
神奈川県	第3位	25,889
新潟県	第14位	8,303

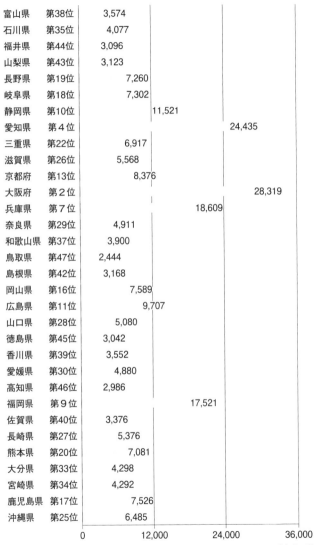

富山県	第38位	3,574
石川県	第35位	4,077
福井県	第44位	3,096
山梨県	第43位	3,123
長野県	第19位	7,260
岐阜県	第18位	7,302
静岡県	第10位	11,521
愛知県	第4位	24,435
三重県	第22位	6,917
滋賀県	第26位	5,568
京都府	第13位	8,376
大阪府	第2位	28,319
兵庫県	第7位	18,609
奈良県	第29位	4,911
和歌山県	第37位	3,900
鳥取県	第47位	2,444
島根県	第42位	3,168
岡山県	第16位	7,589
広島県	第11位	9,707
山口県	第28位	5,080
徳島県	第45位	3,042
香川県	第39位	3,552
愛媛県	第30位	4,880
高知県	第46位	2,986
福岡県	第9位	17,521
佐賀県	第40位	3,376
長崎県	第27位	5,376
熊本県	第20位	7,081
大分県	第33位	4,298
宮崎県	第34位	4,292
鹿児島県	第17位	7,526
沖縄県	第25位	6,485

0　　　　　　12,000　　　　　24,000　　　　　36,000

［出典：県勢 324頁］

グラフ101 2019年における小学教員一人当たり小学生数

　小学教員一人当たり小学生数は、その人数が少ない程望ましいと考えられます。2019年における1位島根県のそれは10.8人で、47位である埼玉県の17.6人と、6.8人の差がありました。47都道府県の平均は14.0人でした。

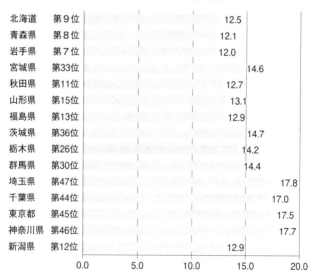

小学教員一人当たり小学生数（単位：人）

北海道	第9位	12.5
青森県	第8位	12.1
岩手県	第7位	12.0
宮城県	第33位	14.6
秋田県	第11位	12.7
山形県	第15位	13.1
福島県	第13位	12.9
茨城県	第36位	14.7
栃木県	第26位	14.2
群馬県	第30位	14.4
埼玉県	第47位	17.8
千葉県	第44位	17.0
東京都	第45位	17.5
神奈川県	第46位	17.7
新潟県	第12位	12.9

0.0　5.0　10.0　15.0　20.0

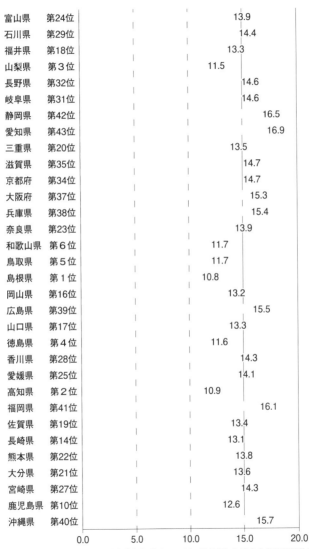

富山県	第24位	13.9
石川県	第29位	14.4
福井県	第18位	13.3
山梨県	第3位	11.5
長野県	第32位	14.6
岐阜県	第31位	14.6
静岡県	第42位	16.5
愛知県	第43位	16.9
三重県	第20位	13.5
滋賀県	第35位	14.7
京都府	第34位	14.7
大阪府	第37位	15.3
兵庫県	第38位	15.4
奈良県	第23位	13.9
和歌山県	第6位	11.7
鳥取県	第5位	11.7
島根県	第1位	10.8
岡山県	第16位	13.2
広島県	第39位	15.5
山口県	第17位	13.3
徳島県	第4位	11.6
香川県	第28位	14.3
愛媛県	第25位	14.1
高知県	第2位	10.9
福岡県	第41位	16.1
佐賀県	第19位	13.4
長崎県	第14位	13.1
熊本県	第22位	13.8
大分県	第21位	13.6
宮崎県	第27位	14.3
鹿児島県	第10位	12.6
沖縄県	第40位	15.7

0.0　　　5.0　　　10.0　　　15.0　　　20.0

［本著「グラフ98．2019年における小学生数」と「グラフ100．2019年における小学校教員数」から作成］

グラフ102 2019年における中学生数

　2019年における中学生の総数は3,218,137人でした。「グラフ102. 2019年における中学生数」と「グラフ98. 2019年における小学生数」の順位を対比すると、14位の宮城県までは順位が同じなのですが、中学生の人数の15位が長野県であるのに対し、同県の小学生の順位は17位で、16位以下では、両学生数の順位が異なります。

中学生数（単位：人）

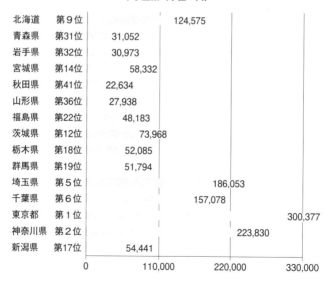

北海道	第9位	124,575
青森県	第31位	31,052
岩手県	第32位	30,973
宮城県	第14位	58,332
秋田県	第41位	22,634
山形県	第36位	27,938
福島県	第22位	48,183
茨城県	第12位	73,968
栃木県	第18位	52,085
群馬県	第19位	51,794
埼玉県	第5位	186,053
千葉県	第6位	157,078
東京都	第1位	300,377
神奈川県	第2位	223,830
新潟県	第17位	54,441

0　　　110,000　　　220,000　　　330,000

富山県	第37位	27,235
石川県	第33位	30,109
福井県	第43位	21,206
山梨県	第42位	21,544
長野県	第15位	56,013
岐阜県	第16位	55,223
静岡県	第10位	98,143
愛知県	第4位	206,367
三重県	第23位	47,916
滋賀県	第26位	40,716
京都府	第13位	65,551
大阪府	第3位	221,426
兵庫県	第7位	143,222
奈良県	第27位	36,288
和歌山県	第39位	23,809
鳥取県	第47位	14,762
島根県	第46位	17,188
岡山県	第20位	50,698
広島県	第11位	74,394
山口県	第29位	33,949
徳島県	第44位	18,173
香川県	第38位	25,987
愛媛県	第30位	33,291
高知県	第45位	17,232
福岡県	第8位	134,958
佐賀県	第40位	23,204
長崎県	第28位	35,982
熊本県	第24位	47,827
大分県	第35位	29,191
宮崎県	第34位	29,905
鹿児島県	第25位	44,933
沖縄県	第21位	48,382

0　　110,000　　220,000　　330,000

［出典：県勢 323頁］

グラフ103 2019年における中学校数

　2019年における中学校の総数は10,223校でした。「グラフ103．2019年における中学校数」と「グラフ99．2019年における小学校数」の順位を対比してみますと、3位の大阪府までは順位が同じなのですが、中学校数で4位の神奈川県は、小学校数では5位ですから、二つのグラフでは、5位以下で順位の違いが認められます。

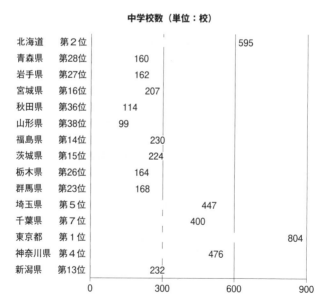

中学校数（単位：校）

北海道	第2位	595
青森県	第28位	160
岩手県	第27位	162
宮城県	第16位	207
秋田県	第36位	114
山形県	第38位	99
福島県	第14位	230
茨城県	第15位	224
栃木県	第26位	164
群馬県	第23位	168
埼玉県	第5位	447
千葉県	第7位	400
東京都	第1位	804
神奈川県	第4位	476
新潟県	第13位	232

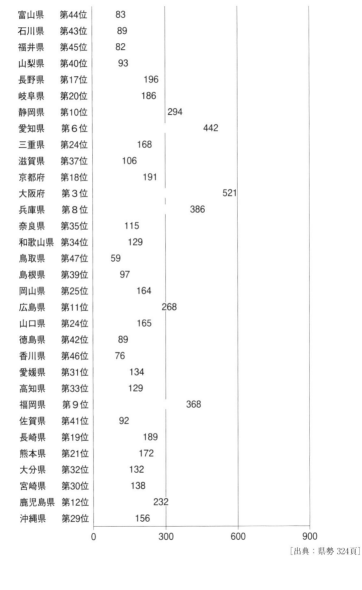

富山県	第44位	83
石川県	第43位	89
福井県	第45位	82
山梨県	第40位	93
長野県	第17位	196
岐阜県	第20位	186
静岡県	第10位	294
愛知県	第6位	442
三重県	第24位	168
滋賀県	第37位	106
京都府	第18位	191
大阪府	第3位	521
兵庫県	第8位	386
奈良県	第35位	115
和歌山県	第34位	129
鳥取県	第47位	59
島根県	第39位	97
岡山県	第25位	164
広島県	第11位	268
山口県	第24位	165
徳島県	第42位	89
香川県	第46位	76
愛媛県	第31位	134
高知県	第33位	129
福岡県	第9位	368
佐賀県	第41位	92
長崎県	第19位	189
熊本県	第21位	172
大分県	第32位	132
宮崎県	第30位	138
鹿児島県	第12位	232
沖縄県	第29位	156

0　　　　300　　　　600　　　　900

［出典：県勢 324頁］

グラフ104 2019年における中学校教員数

2019年における中学校教員の総数は234,823人でした。「グラフ104. 2019年における中学校教員数」と「グラフ100. 2019年における小学校教員数」を多い順に対比しますと、6位の北海道までは順位が同じですが、中学校教員数で7位の千葉県は、小学校教員数では8位でしたから、これらの順位以下に順位の違いが認められます。

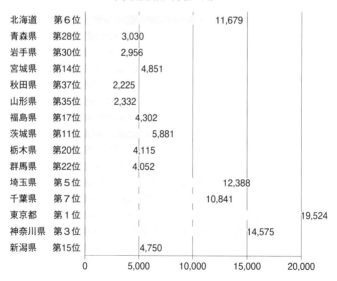

中学校教員数（単位：人）

北海道	第6位	11,679
青森県	第28位	3,030
岩手県	第30位	2,956
宮城県	第14位	4,851
秋田県	第37位	2,225
山形県	第35位	2,332
福島県	第17位	4,302
茨城県	第11位	5,881
栃木県	第20位	4,115
群馬県	第22位	4,052
埼玉県	第5位	12,388
千葉県	第7位	10,841
東京都	第1位	19,524
神奈川県	第3位	14,575
新潟県	第15位	4,750

0　5,000　10,000　15,000　20,000

県名	順位	値
富山県	第41位	2,109
石川県	第38位	2,190
福井県	第45位	1,835
山梨県	第44位	1,849
長野県	第16位	4,690
岐阜県	第18位	4,276
静岡県	第10位	6,948
愛知県	第4位	13,670
三重県	第24位	3,819
滋賀県	第27位	3,115
京都府	第13位	5,141
大阪府	第2位	16,777
兵庫県	第8位	10,388
奈良県	第31位	2,877
和歌山県	第36位	2,276
鳥取県	第47位	1,428
島根県	第43位	1,881
岡山県	第21位	4,105
広島県	第12位	5,490
山口県	第29位	3,021
徳島県	第46位	1,779
香川県	第39位	2,147
愛媛県	第32位	2,849
高知県	第42位	2,089
福岡県	第9位	9,765
佐賀県	第40位	2,133
長崎県	第26位	3,298
熊本県	第23位	4,042
大分県	第34位	2,521
宮崎県	第33位	2,779
鹿児島県	第19位	4,250
沖縄県	第25位	3,785

0　　　5,000　　10,000　　15,000　　20,000

［出典：県勢 324頁］

グラフ105 2019年における中学教員一人当たり中学生数

　小学生の場合もそうでしたが、中学教員一人当たり中学生数も、その人数が少ない程望ましいと考えられます。1位である長崎県の人数8.2人は、46位である秋田県と東京都の人数15.4人との間で、人数差で7.2人ありました。なお、47都道府県の平均は12.2人でした。

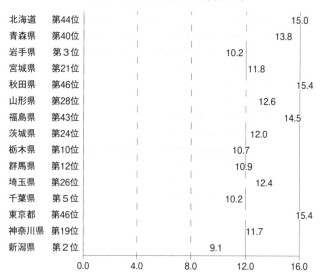

中学教員一人当たり中学生数 （単位：人）

北海道	第44位	15.0
青森県	第40位	13.8
岩手県	第3位	10.2
宮城県	第21位	11.8
秋田県	第46位	15.4
山形県	第28位	12.6
福島県	第43位	14.5
茨城県	第24位	12.0
栃木県	第10位	10.7
群馬県	第12位	10.9
埼玉県	第26位	12.4
千葉県	第5位	10.2
東京都	第46位	15.4
神奈川県	第19位	11.7
新潟県	第2位	9.1

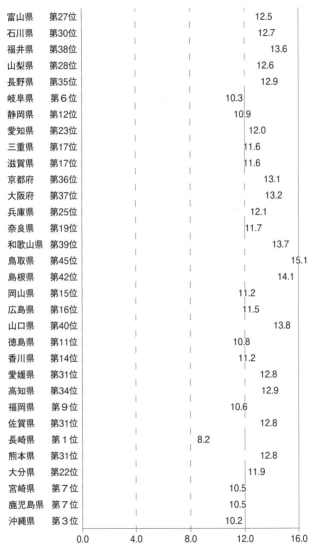

富山県	第27位	12.5
石川県	第30位	12.7
福井県	第38位	13.6
山梨県	第28位	12.6
長野県	第35位	12.9
岐阜県	第6位	10.3
静岡県	第12位	10.9
愛知県	第23位	12.0
三重県	第17位	11.6
滋賀県	第17位	11.6
京都府	第36位	13.1
大阪府	第37位	13.2
兵庫県	第25位	12.1
奈良県	第19位	11.7
和歌山県	第39位	13.7
鳥取県	第45位	15.1
島根県	第42位	14.1
岡山県	第15位	11.2
広島県	第16位	11.5
山口県	第40位	13.8
徳島県	第11位	10.8
香川県	第14位	11.2
愛媛県	第31位	12.8
高知県	第34位	12.9
福岡県	第9位	10.6
佐賀県	第31位	12.8
長崎県	第1位	8.2
熊本県	第31位	12.8
大分県	第22位	11.9
宮崎県	第7位	10.5
鹿児島県	第7位	10.5
沖縄県	第3位	10.2

0.0　4.0　8.0　12.0　16.0

［本著「グラフ102. 2019年における中学生数」と「グラフ104. 2019年における中小学校教員数」から作成］

グラフ106 **2018年における都道府県別教育費**

　2018年度の（P244より）都道府県別教育費の総合計は、9兆919億円で、47都道府県の平均は、2125.9億円でした。

1位 東京都 1兆689億円　　2位 大阪府 5,317億円　　3位 愛知県 4,877億円

45位 山梨県 885億円　　46位 徳島県 812億円　　47位 鳥取県 672億円

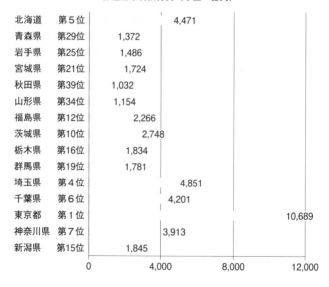

都道府県別教育費（単位：億円）

北海道	第5位	4,471
青森県	第29位	1,372
岩手県	第25位	1,486
宮城県	第21位	1,724
秋田県	第39位	1,032
山形県	第34位	1,154
福島県	第12位	2,266
茨城県	第10位	2,748
栃木県	第16位	1,834
群馬県	第19位	1,781
埼玉県	第4位	4,851
千葉県	第6位	4,201
東京都	第1位	10,689
神奈川県	第7位	3,913
新潟県	第15位	1,845

富山県	第38位	1,043
石川県	第36位	1,079
福井県	第42位	974
山梨県	第45位	885
長野県	第13位	2,055
岐阜県	第18位	1,823
静岡県	第11位	2,427
愛知県	第3位	4,877
三重県	第23位	1,705
滋賀県	第27位	1,400
京都府	第20位	1,738
大阪府	第2位	5,317
兵庫県	第8位	3,748
奈良県	第33位	1,198
和歌山県	第37位	1,063
鳥取県	第47位	672
島根県	第44位	935
岡山県	第26位	1,454
広島県	第14位	1,913
山口県	第28位	1,395
徳島県	第46位	812
香川県	第43位	939
愛媛県	第31位	1,292
高知県	第40位	981
福岡県	第9位	3,019
佐賀県	第41位	978
長崎県	第24位	1,546
熊本県	第30位	1,370
大分県	第32位	1,263
宮崎県	第35位	1,118
鹿児島県	第17位	1,828
沖縄県	第22位	1,705

0　　　4,000　　　8,000　　　12,000

［出典：県勢 273頁］

2018年における都道府県別小学生・中学生一人当たり教育費

「グラフ107. 2018年度における都道府県別教育費」をその都道府県の小学生数と中学生の合計で除しますと、様相は大分変わります。

1位 北海道 12,270,595円 2位 高知県 1,974,638円

3位 島根県 1,822,506円

45位 愛知県 786,099円 46位 福岡県 724,033円

47位 神奈川県 573,054円

都道府県別小学生・中学生一人当たり教育費（単位：円）

北海道	第1位				12,270,595
青森県	第8位	1,563,747			
岩手県	第4位	1,671,128			
宮城県	第35位	991,021			
秋田県	第6位	1,612,122			
山形県	第14位	1,443,005			
福島県	第5位	1,667,243			
茨城県	第20位	1,272,935			
栃木県	第26位	1,207,405			
群馬県	第28位	1,182,862			
埼玉県	第40位	873,458			
千葉県	第39位	893,938			
東京都	第29位	1,167,878			
神奈川県	第47位	573,054			
新潟県	第32位	1,140,353			

0,000　　5,000,000　　10,000,000　　15,000,000

富山県	第18位	1,353,104			
石川県	第25位	1,213,696			
福井県	第7位	1,564,206			
山梨県	第10位	1,539,264			
長野県	第21位	1,269,349			
岐阜県	第34位	1,127,906			
静岡県	第42位	858,743			
愛知県	第45位	786,099			
三重県	第27位	1,205,535			
滋賀県	第31位	1,142,549			
京都府	第38位	919,363			
大阪府	第44位	812,452			
兵庫県	第41位	871,140			
奈良県	第30位	1,144,779			
和歌山県	第11位	1,535,085			
鳥取県	第9位	1,550,853			
島根県	第3位	1,822,506			
岡山県	第36位	964,018			
広島県	第43位	849,501			
山口県	第17位	1,376,935			
徳島県	第12位	1,522,709			
香川県	第24位	1,224,346			
愛媛県	第22位	1,257,936			
高知県	第2位	1,974,638			
福岡県	第46位	724,033			
佐賀県	第16位	1,432,149			
長崎県	第13位	1,452,270			
熊本県	第37位	941,251			
大分県	第15位	1,438,841			
宮崎県	第23位	1,227,506			
鹿児島県	第19位	1,350,114			
沖縄県	第33位	1,137,182			

0,000　　5,000,000　　10,000,000　　15,000,000

［本著「グラフ98.　小学生数」、「グラフ102.　中学生数」と「グラフ106.　2018年度における都道府県別教育費」から作成］

第 **12** 章

日銀保有国債500兆円超を活用する

この章では、日銀が保有する国債の利用の仕方を考えます。

国債発行残高1000兆円超に

2021年（令和3年）11月27日の読売新聞は、「国債残高1000兆円超に」との見出しの下で、「一般会計の歳出が過去最大となった補正予算の財源を確保するため、政府が新たに発行する国債は22兆580億円となった。（中略）、この結果、21年度末の国債発行残高は、初めて1000兆円を超える見通しで（以下略）」と伝えています。

グラフ108 国債の保有者別内訳

　2021年末の場合、国債1074兆2288億円のうちの20.32％に相当する218兆2989億円を生損保等が、14.36％に相当する154兆2720億円を銀行等が保有していますが、国債の最多保有者は日銀で、48.06％に相当する516兆2297億円を保有しています。

国債の保有者別内訳（単位：兆円）

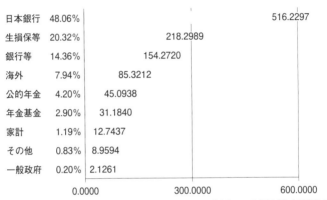

日本銀行	48.06%	516.2297
生損保等	20.32%	218.2989
銀行等	14.36%	154.2720
海外	7.94%	85.3212
公的年金	4.20%	45.0938
年金基金	2.90%	31.1840
家計	1.19%	12.7437
その他	0.83%	8.9594
一般政府	0.20%	2.1261

0.0000　　　　300.0000　　　　600.0000

［出典：日本銀行「資金循環統計」］

国債発行残高	1074兆2288億円 （100.00％）
日本銀行以外保有国債残高	557兆9991億円 （51.94％）
日本銀行保有国債残高	516兆2297億円 （48.06％）

日銀保有国債残高521兆円

　日本銀行によりますと、2021年年末時点で、日銀の国債保有残高が約521兆円になったとのことです。

　再度確認すれば、「国債発行残高は1000兆円を超え」、「そのうちの521兆円分の国債を日銀が保有している」というのが事実です。

一般会計予算

　読売新聞2022年（令和4年）3月22日付朝刊は、「新年度予算 スピード成立」との見出しの下、2022年度一般会計予算が成立した旨を伝えていました。

　その記事によりますと、2022年度予算は次の通りでした。

歳　　入

税収	65兆2350億円
その他税収	5兆4354億円
公債金	36兆9260億円
合計	107兆5964億円

歳　　出

社会保障関係費	36兆2735億円
国債費	24兆3393億円
地方交付税交付金	15兆8825億円
公共事業費	6兆0575億円
文教・科学振興費	5兆3901億円
防衛費	5兆3687億円
新型コロナ対策予備費	5兆0000億円
その他	9兆2848億円
合計	107兆5964億円

　なお、歳入については前掲新聞には記載されていませんでしたので、財務省「令和4年度予算フレーム」によっています。

グラフ109 予算・歳入

　歳入総額107兆5964億円の内訳は、税収65兆2350億円（歳入の60.63％）、その他税収5兆4354億円（歳入の5.05％）、公債金36兆9260億円（歳入の34.32％）からなっています。なお、公債金は国債発行による歳入ですから、税収が多くなれば、公債金は少なくなります。

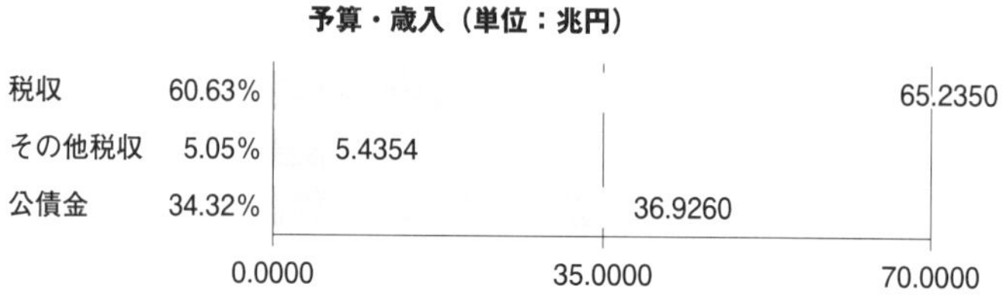

予算・歳入（単位：兆円）

税収	60.63%	65.2350
その他税収	5.05%	5.4354
公債金	34.32%	36.9260

0.0000　　　　35.0000　　　　70.0000

[出典：財務省「令和4年度予算フレーム」]

グラフ110 予算・歳出

　歳出総額107兆5964億円の内訳は、社会保障関係費 36兆2735億円（歳出の33.71％）、国債費24兆3393億円（歳出の22.62％）、地方交付税交付金15兆8825億円（歳出の14.76％）、公共事業費 6 兆0575億円（歳出の5.63％）、文教・科学振興費 5 兆3901億円（歳出の5.01％）、防衛費 5 兆3687億円（歳出の4.99％）、新型コロナ対策予備費 5 兆0000億円（歳出の4.65％）、その他 9 兆2848億円（歳出の8.63％）です。

予算・歳出（単位：兆円）

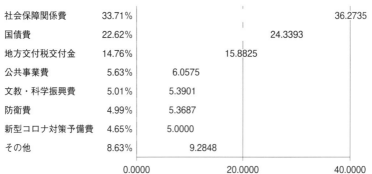

社会保障関係費	33.71％	36.2735
国債費	22.62％	24.3393
地方交付税交付金	14.76％	15.8825
公共事業費	5.63％	6.0575
文教・科学振興費	5.01％	5.3901
防衛費	4.99％	5.3687
新型コロナ対策予備費	4.65％	5.0000
その他	8.63％	9.2848

0.0000　　　　　20.0000　　　　　40.0000

［出典：読売新聞2022年 3 月22日朝刊をもとに筆者作成］

国債費の意味

　グラフ110における国債費24.3393兆円は、その年度に支払期限が到来する国債の元本部分と利払い部分からなります。

　支払期限が到来する国債費は、日銀以外の所有者と日銀所有の二つの部分からなっていますので、24.3393兆円は、「日銀以外の所有者に対する支払い」と、「日銀に対する支払い」の二つに区分されます。

　区分の基準は、グラフ108の、

　　　日本銀行以外保有国債残高　　　557兆9991億円　51.94％

　　　日本銀行保有国債残高　　　　　516兆2297億円　48.06％

　から、51.94％と48.06％になります。

　それ故、24.3393兆円は、51.94％と48.06％を用いて、

　　　日本銀行外保有　　24.3393兆円×51.94％＝12兆6418億円

　　　日本銀行保有　　　24.3393兆円×48.06％＝11兆6974億円

　つまり、12兆6418億円と11兆6974億の二つの部分に区分されます。

　ここで、国債費を「国債費日銀外分 12.6564億円」と「国債費日銀分 11.6829億円」に二つに分けて表示すると、次掲のグラフ111が得られます。

グラフ111 予算・歳出（変形１）

　ここで、国債費を国債費日銀外分と国債費日銀分に二分割すると、次の
グラフが得られます。

予算・歳出：国債費分割（単位：兆円）

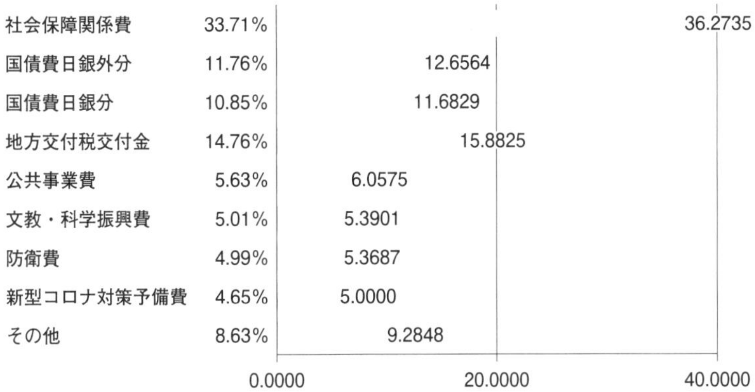

項目	割合	金額
社会保障関係費	33.71%	36.2735
国債費日銀外分	11.76%	12.6564
国債費日銀分	10.85%	11.6829
地方交付税交付金	14.76%	15.8825
公共事業費	5.63%	6.0575
文教・科学振興費	5.01%	5.3901
防衛費	4.99%	5.3687
新型コロナ対策予備費	4.65%	5.0000
その他	8.63%	9.2848

0.0000　　　　20.0000　　　　40.0000

自社株買いの意味

　2022年4月3日付の日経新聞は、「自社株買い7割増」との見出しで、「上場企業が設定した自社株買いの枠が前年度に比べて、7割近くも増え、8兆円余りにのぼった。新型コロナウイルス禍からの業績回復で手元資金を株主還元に回す動きが広がっており、リーマン・ショック後では最大規模」と伝えています。

　また、2022年6月3日の日経新聞は、自社株買いについて、「自社株買い枠　倍の4.2兆円」との見出しの下で、自社株買いについて次の様に伝えています。

　「日本の上場企業が自社株を買い入れる動きが急増している」と。

　ここで「自社株買いの意味」を、簡単な設例を用いて説明します。

　A社は、株式を10株発行しています。その時のA社の純資産が1000円であったとします（純資産は、資産から負債を引いた値です）。

　したがって、A社の1株当たり純資産は、100円＝1000円÷10株です。

　さて、A社は、10株発行されていた株式のうちの1株を取得し、それを消却しました。消却することの意味は、証券としての株式を廃棄することです。そうしますと、A社は10株ではなく9株の株式を発行していることになりますから、1株当たりの純資産は、111.1円＝1000円÷9株　になります。

　この様に、株式を消却することで、株主にとって、純資産100.0円

の株式が111.1円の株式に置き換えられることになり、11.1円の利益を得ます。その意味で株式消却は、株主に対する配当と異なった利益還元手段として機能しますので、しばしば、株式消却が行われます。

日銀保有国債を消却する

　ここで、日銀が、日銀保有分の国債を消却します。そうしますと、日銀保有分とされた国債は存在しなくなり、従って、日銀に対する支払いも行われなくなります。しかし、その部分は、歳出額としては確保されています。それ故、11.6829億円は使途の特定されない額になり、何にでも使用できる予算額となります。その様子を示したのが次掲のグラフ112です。

　このグラフによりますと、11.6829億円は、使途としての費目が存在しません。それは、その額の範囲内で、何にでも使用可能な予算に変化するのです。

グラフ112 予算・歳出（変形２）

予算・歳出：日銀保有分消却（単位：兆円）

項目	割合	値
社会保障関係費	33.71%	36.2735
	10.85%	11.6829
国債費日銀外分	11.76%	12.6564
地方交付税交付金	14.76%	15.8825
公共事業費	5.63%	6.0575
文教・科学振興費	5.01%	5.3901
防衛費	4.99%	5.3687
新型コロナ対策予備費	4.65%	5.0000
その他	8.63%	9.2848

0.0000　　　　　　20.0000　　　　　　40.0000

　将来、人口が減少すれば、税収の額も減少します。しかし、それを気にする必要は全くありません。なぜなら、日銀が保有する国債500兆円超は、毎年10兆円ずつ消却使用しても、向こう50年間は使うことができるからです。更に言えば、近時と同じ様に、歳入に公債金を計上すれば、500兆円超の日銀国債保有額は、恒常的な有り高として存続させることが可能となります。

　なお、2022年5月31日の日経新聞朝刊は、「国債利払い費、1割転用」との見出しの下で、その内容を次の様に伝えています。「政府が巨額の借金をまかなうために用意した国債費が『隠し財源』として使われている実態が見えてきた。2012年〜2021年度の利払い予算の12％に当たる11.9兆円が、景気刺激など他の政策に転用されていた。日銀の金融緩和で金利が下がり、利払い費が常に余る状況が生み出された。金利が上昇に転じれば、同じ発想で財政を運用することはできなくなる」

　しかし、日銀保有国債を消却すれば、この様な転用をする必要は全くなくなります。

　日銀はこれからも多額の国債を発行し、発行分の相当額を日銀が購入するでしょう。そうすれば、毎年、歳出予算がこれまでと同じく10兆円超の余裕を発生させます。

　私は、この予算は、①教育費の側面、②ゆとりある生活の側面、③老朽化した諸施設の更新支出、④公共交通機関の赤字補てんの側面、⑤国防の側面、⑥災害時の復旧費用の側面で使用したら良いと考えています。

第 13 章

防衛力を大幅に増強しよう

この章では、本章掲示のグラフを参照しながら、我が国の防衛問題を考えます。

　ロシアのウクライナ侵攻に際して、「太陽と北風の寓話」が思い出されました。これは、「旅人のマントを太陽と北風のどちらが先に脱がすか」という話です。「北風が旅人のマントを脱がそうとして、力の限り吹きつけましたが、旅人はマントを奪われない様、体に巻きつけましたので、北風は旅人のマントを脱がすことができませんでした」。今度は「太陽が陽光で暖かく旅人を包みました。すると旅人はマントを脱ぎました」。太陽が北風に勝ったのです。
　この寓話の意味するところは、「人々の望むことをすれば、人々はその人を温かく迎え入れる」というものです。ロシアが周囲の国の人達の望むことをすれば、周囲の国の人々はロシアを尊敬し、ロシアを敬服したに違いありません。ロシアは武力でウクライナをねじ伏せ様としなくても、人々が慕い来る様にすれば良かったに違いないのです。
　同様のことを、孔子は論語中『子路第13』で次の様に説いています。
　「葉公（しょうこう）が政治のことを尋ねた」。先生は言われた。「近くの人々は喜び、遠くの人々は、それを聞いてやって来る様に」
　太陽と北風の寓話や孔子の教説とは逆の譬え話もあります。それはジョージ・オーウェルの記した『動物農場』です。
　「ある農場で、動物達が劣悪な環境を改革して動物達の理想とす

る王国を築こうとしますが、指導的立場に立った豚達が、やがて特
権階級に成り上がり、動物達を虐待していく話」です。

　これについて、次の短歌が頭に浮かびました。

誉めさせられ　讃えさせられ　崇めさせられ　喝（かつ）えさせられ　我慢
させられ

　読売新聞2022年6月6日の朝刊は、「『同時』『多数』能力誇示 北
ミサイル8発 日米韓、迎撃難しく」との見出しの下で、北朝鮮の
ミサイル発射について伝えています。

　仮に北朝鮮がいかなる国かにミサイルなどで攻撃をしたとすれば、
北朝鮮もまた、他の国から反撃されることでしょう。ミサイル技術
は北朝鮮に特有のものではないのです。北朝鮮にできる程度のこと
は、他のどの国にもできます。

　北朝鮮としての国家を転覆させようとは、どこの国も望んでいま
せん。他方で、北朝鮮の政権にとって脅威となるのは、自国民の政
府転覆の動きではないでしょうか。北朝鮮の国民は、ミサイル技術
の誇示ではなく、国民の生活レベルを誇示できる様になって欲しい
と思っているに違いありません。

　さて、北朝鮮の政権は1948年に成立しましたから、2022年現在、
74年間存在してきましたし、今後も存続することでしょう。

　ところで、「世界の王室：歴史の長さランキング」によりますと、
次の王室が長い歴史を有しているとのことです。

1位.	日本	現125代天皇	500年代から
2位.	デンマーク	現54代女王	900年から
3位.	英国	現40代女王	1056年から
4位.	スペイン	現17代国王	1479年から
5位.	スウェーデン	現16代国王	1523年から
6位.	タイ	現10代国王	1782年から
7位.	バーレーン	現11代国王	1783年から
8位.	オランダ	現6代国王	1815年から
9位.	ベルギー	現6代国王	1830年から
10位.	トンガ	現6代国王	1845年から

　北朝鮮の成立は1948年ですから、ここに記されたトンガより103年遅いのです。

国力一覧

　防衛力を含めた国力は、その国の人口、面積、国内総生産、一人当たり国内総生産等で測ることができます。我が国にとっての脅威は、中国です。

	人口	面積	国内総生産	一人国内総生
米国	3億3100万人	9834.0万km²	21兆4332億㌦	6万5897㌦
中国	14億3932万人	9600.0万km²	14兆3429億㌦	9980㌦
ロシア	1億4593万人	17125.1万km²	1兆9299億㌦	1128㌦
日本	1億2647万人	37.8万km²	5兆0824億㌦	4万1513㌦
韓国	5126万人	10.0万km²	1兆6465億㌦	3万2422㌦
北朝鮮	2577万人	12.1万km²	0.098.4億㌦	382㌦
台湾	2381万人	3.6万km²	6121億㌦	2万6594㌦

　我が国は、陸地で国境を接している所は1か所もありません。37km²の国土は、領海と排他的経済水域447km²に守られています。

　我が国の防衛力は十分とは言えないと思います。それは、予算の制約がその様な状態に陥らせているからです。

グラフ113 世界の国防支出額

「グラフ113. 2020年の世界の国防支出額」によりますと、ここに記された2020年における14か国の国防費の総額は１兆3660億7800万ドルで、その平均は1138億4000万ドルでした。アメリカの国防費が突出して大きかったため、14か国平均は、国防費支出で３位のインドのそれの1.77倍に相当します。

日本の国防費支出額496.53億ドルは世界で第７位の大きさで、アメリカの国防費支出額は、日本のそれの14.86倍に相当しました。ウクライナに侵攻しているロシアの国防費431.84億ドルは、日本のそれの86.97％に過ぎません。

なお、北朝鮮の国防支出額は、「ワシントン聯合ニュース：2014.03.23」によっています。

世界の国防支出額（単位：億ドル）

アメリカ合衆国	1位	4.86倍	7,380.00
中国	2位	3.89倍	1,932.95
インド	3位	1.29倍	641.38
イギリス	4位	1.24倍	615.26
フランス	5位	1.11倍	550.34
ドイツ	6位	1.03倍	513.47
日本	7位	1.00倍	496.53
ロシア	8位	0.89倍	431.84
韓国	9位	0.81倍	404.04
イタリア	10位	0.87倍	293.44
イスラエル	11位	0.34倍	166.44
トルコ	12位	0.27倍	110.38
北朝鮮	13位	0.20倍	98.40
ウクライナ	14位	0.09倍	43.20

0.00　　4,000.00　　8,000.00

［出典：世界 458頁～460頁］

　2021年の「世界正規軍兵力」の14か国の正規軍兵力の総数は934.1万人で、平均は66.7万人でした。中国の正規軍兵力が突出して多いため、14か国平均をこの様に押し上げました。

　日本の兵力24.7万人を1.00とした場合、中国の兵力軍203.5万人は、日本のそれの8.24倍に相当します。

　また、中国の兵力軍203.5万人は、アメリカの兵力軍133.8万人の1.52倍に相当します。なお、国の配列は、以下のグラフをも含めて「グラフ113」に依拠しています。

世界の正規軍兵力（単位：万人）

国	順位	倍率	兵力
アメリカ合衆国	2位	5.62倍	138.8
中国	1位	8.24倍	203.5
インド	3位	5.91倍	145.9
イギリス	14位	0.60倍	14.9
フランス	10位	0.82倍	20.3
ドイツ	11位	0.74倍	18.4
日本	9位	1.00倍	24.7
ロシア	5位	3.64倍	90.0
韓国	6位	2.43倍	59.9
イタリア	13位	0.67倍	16.5
イスラエル	12位	0.69倍	17.0
トルコ	7位	1.44倍	35.5
北朝鮮	4位	5.18倍	128.0
ウクライナ	11位	0.85倍	20.9

0.0　　70.0　　140.0　　210.0

[出典：世界 458頁〜460頁]

グラフ115 兵士一人当たり世界の国防支出額

　2020年の世界の兵士一人当たり国防支出額は、「グラフ113.　世界の国防支出額」を「グラフ114.　世界の正規軍兵力」で除することで、「その国の一人当たり国防支出額」を計算しました。

　アメリカの兵士一人当たり国防費は531,700ドルで、1ドルを100円で換算すれば、53,170,000円になります。また、日本の一人当たり国防費の額は世界では5位で、日本の国防費を1.00とすれば、ロシアのそれは0.24倍に過ぎません。

兵士一人当たり世界の国防支出額（単位：ドル）

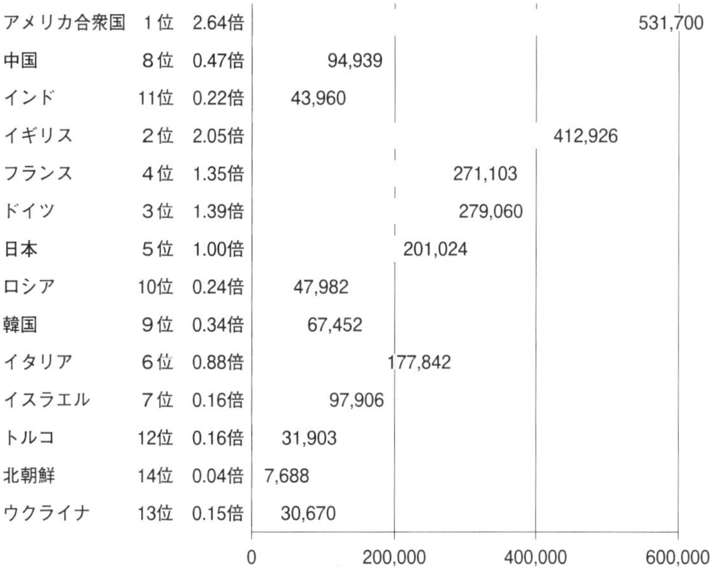

国	順位	倍率	値
アメリカ合衆国	1位	2.64倍	531,700
中国	8位	0.47倍	94,939
インド	11位	0.22倍	43,960
イギリス	2位	2.05倍	412,926
フランス	4位	1.35倍	271,103
ドイツ	3位	1.39倍	279,060
日本	5位	1.00倍	201,024
ロシア	10位	0.24倍	47,982
韓国	9位	0.34倍	67,452
イタリア	6位	0.88倍	177,842
イスラエル	7位	0.16倍	97,906
トルコ	12位	0.16倍	31,903
北朝鮮	14位	0.04倍	7,688
ウクライナ	13位	0.15倍	30,670

グラフ116 自衛隊員数

2019年における自衛隊の隊員数は、227,442人でした。

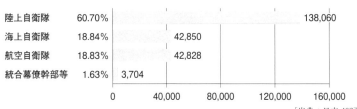

自衛隊員数

陸上自衛隊	60.70%	138,060
海上自衛隊	18.84%	42,850
航空自衛隊	18.83%	42,828
統合幕僚幹部等	1.63%	3,704

0　　　40,000　　　80,000　　　120,000　　　160,000

[出典：日本 492頁]

グラフ117 **使途別防衛関係費**

2021年における我が国の防衛費は、次の様な項目で構成されています。

使途別防衛関係費（単位：億円）

人件・糧食費	41.03%	21,919
物件費・装備品購入費等	17.2%	9,187
物件費・研究開発費	2.12%	1,133
物件費・施設整備等	3.80%	2,029
物件費・維持費等	21.73%	11,609
物件費・基地対策経費	8.64%	4,618
物件費・SACO関係経費*	0.27%	144
物件費・米軍再編関係経費	3.83%	2,044
物件費・その他	1.39%	741

[出典：日本 491頁]

＊SACO関係費＝沖縄における施設・区域に関する特別行動委員会

グラフ118 在日米軍兵力

　2020年における在日米軍兵力の総数は、48,981人でした。この人数は、2019年における自衛隊の隊員数227,442人の21.53%に相当します。

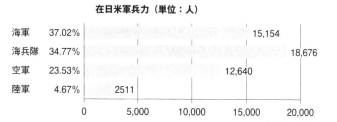

在日米軍兵力（単位：人）

海軍	37.02%	15,154
海兵隊	34.77%	18,676
空軍	23.53%	12,640
陸軍	4.67%	2511

0　　5,000　　10,000　　15,000　　20,000

［出典：日本 493頁］

我が国を脅かす隣国の動き

　近時の新聞の見出しに「反撃能力」という用語が使われています。

１．2022年１月19日の読売新聞朝刊社説は、「北ミサイル対処　反撃能力検討を進めたい」との見出しで、「北朝鮮に攻撃を思い留まらせる手段として、反撃能力の保有の検討を急ぐべきだ」と記しています。

２．2022年４月27日の読売新聞朝刊は、「ミサイル防衛頼み限界「反撃能力」明記との見出しの下で、次の様に伝えています。

２－１．自民党が国家安全保障戦略など３文書の改訂に向けた提言で、他国からのミサイル攻撃などに対する「反撃能力」の保有を求めたのは、従来のミサイル防衛では限界があるためだ。

２－２．中国、北朝鮮、ロシアの軍事協力が顕著となる中、複合事態にも備えなければならない。

２－３．中国が地上発射型の中距離弾道ミサイル約1900発を保有し、日本周辺に相当数を配備している。

２－４．日米が共同開発した新型迎撃ミサイル「SM3ブロック2A」は、１発約30億円とされる。

私見：　単純計算で、１発30億円、10発300億円、100発3000億円、1000発３兆円であるなら、2000発６兆円。これらの額は、「第12章　日銀保有国債500兆円超を活用する」で見ました様に、我が国は今後、年間11兆円程度の使途の特定されない予算が存在することになります。この額の５兆円程度を毎年国防

支出に充当すれば、10年で50兆円、20年で100兆円……等々
となります。

3．2022年7月23日の読売新聞社説は「防衛白書　中露の軍事連携
を警戒せよ」との見出しの下で、次の様に記しています。

3－1．2022年版白書は、ロシアによるウクライナ侵略を、「国際
法と国連憲章の深刻な違反」と非難した。孤立したロシア
が中国と軍事協力を深化させる可能性に言及し、「懸念を
持って注視する」と指摘した。

3－2．昨秋には、中露の海軍艦艇10隻が演習で日本を周回した。
今年5月には両国の爆撃機6機が日本周辺を共同飛行した。

3－3．尖閣諸島周辺では、中国の海警船が領海侵入を繰り返して
いる。海軍の艦艇がこの海域を航行するケースも目立って
いる。

4．中国によるチベット併合と台湾併合の動き

4－1．1949年の中華人民共和国の成立以来、清朝時代に続いてチ
ベット領有を表明して東チベットを占領しました。チベッ
ト族人口は541万人で、242万人がチベット自治区に居住し
ています。

4－2．台湾には、台湾国に帰属する国民が2381万人生活していま
す。その数は、チベット自治区に居住するチベット人242
万の10倍に相当します。
中国が台湾を併合しようとすれば、2381万人の台湾人が中
国に連行され、中国での居住を強制され、厳重な監視を受

けることでしょう。台湾人は、すきがあれば反抗すること
でしょう。中国は自らが、将来長きに渡って続く不幸を招
き入れることになるに違いありません。

排他的経済水域と国防

　我が国の国土37.8万km²は、領海と排他的経済水域とを合わせた
447万km²の海で守られています。

１．我が国は、「専守防衛」で。

１－１．「専守防衛」は、「武力攻撃を受けた時に初めて防衛力を行
　　　　使する、受動的な防衛戦略と定義されます（2022年４月24
　　　　日の読売新聞朝刊）。

１－２．日本が反撃すれば、相手国も更に攻撃（＝反撃）するで
　　　　しょう。戦はやむことなく拡大するでしょう。

１－３．「専守防衛」は、どの国にも許された国防手段です。

１－４．基準排水量19,500t、満載排水量26,000tのヘリ空母加賀建
　　　　造費は1170億円だそうです。

１－５．双胴の８万tクラスの空母を旗艦とする空母艦隊を、１月
　　　　艦隊、２月艦隊、３月艦隊、４月艦隊等々12月艦隊まで、
　　　　12艦隊建造し、排他的経済水域の内側に配置します。

１－６．アメリカの空母艦隊２艦隊を、駐留経費を日本が負担した
　　　　上で駐留してもらえば、日本の国防力はかつてない程に強
　　　　化されることでしょう。

１－７．日本は、中国と台湾の関係には一切関わるべきではないと

思います。

中国の不幸

　日中戦争で中国が日本に勝ったのは当然のこととして、毛沢東氏が蔣介石氏に勝ったのは、中国にとっての大変な不幸でした。逆になっていれば、資本主義国家中国は、名実ともに世界一の経済大国になっていたことでしょう。現中国の政権が抱えているのは、世界一の闇です。

第**14**章

結びに代えて＝新鎖国論

1万5000年程前に始まる縄文時代から、我が国が海に囲まれ、陸続きの国境がないことから、外国と交流することなく、日本人としての生活様式を築いてきました。

　外国との交流という意味で言えば、我が国は特に1867年（慶応3年）の明治維新以降、多くの外国と積極的な交流を行う様になって現在に至っています。

　さて、我が国の人口は、今後数十年で半減し、6000万人程度になると想定されています。ここでは、人口が6000万人程になった時の日本のあるべき姿を、「第9章　日本の針路」を肉付けする形で論じてみたいと思います。

　国土面積は37万km^2、排他的経済水域面積は465万km^2で、人口は1億2000万人から6000万人（＝2100年人口≒5971万8000人）に半減します。

①人口が半減することは、一人当たり国土面積が倍加することを意味します。また、一人当たり排他的経済水域の面積も倍加します。これらが倍になることは、そうでない場合より、国民がより豊かに生活できる様になることに繋がります。

②人口が半減すれば、国内総生産も半減するでしょう。かつて世界第2位、そして現在世界第3位の国内総生産のその順位を保つことはできないでしょう。国内総生産の順位は大幅に下がるに違いありません。しかし他方で、一人当たり国内総生産の順位が低下

することはないと思われます。

③人々の生活に必要な農産物、畜産物、海産物、森林資源等は、全て自給可能になると思われます。海が内包しているエネルギーを活用することで、これまで厳しかったエネルギーの自給も、100％達成されるでしょう。これは、日本が外国との貿易や資本取引をする必要がなくなることを示唆するものです。

④『極東』と呼ばれる世界の果てで、日本は外国と交流する必要もなく、しかも国民は豊かな生活を送ることができます。その場合に大切なのは、外国の影響が及ばない様にすることです。それは、日本が『鎖国』すべきことを意味します。

⑤ここで言う『鎖国』の要件は、例えば、日本人が出国するのに『50万円の出国税』を負担し、その日本人が帰国して入国するのに『50万円の入国税』を負担することで達成されますし、外国人が日本に入国するのに50万円を負担させ、その外国人が日本から出国するのに50万円を負担させることで達成されます。

この場合、旅行業者にどの様な影響が及ぶのでしょうか。

日本国勢図解397頁には、旅行収支について次の様な数値を掲示しています。

a.外国人の日本国内旅行の宿泊費4兆8135億円

b.日本人の海外旅行で使った旅費4兆8412億円

上述の様に「出国税・入国税」を課した場合、日本の旅行業者はaの額を受け取る事はできません。他方で、日本人も外国旅行をしなくなるでしょう。その代わり、外国旅行で使っていたお金を

国内旅行に振り向ける事でしょう。そうであれば、国内の旅行業者はbの額を受け取る事になります。このように考えれば、国内の旅行業者は、鎖国下の悪影響を殆ど蒙る事がないに違いありません。

⑥国内総生産の減少は、国際機関の負担金軽減に繋がります。しかし、その時の日本の経済力は、それまでの世界のどの国にも見られない程に豊かになっています。それは、日本が望む形での他国への援助を可能とするものです。日本は、日本の豊かさを一人占めにするのでなく、『これはと思った国』に対し、『この様な形でと思える支援』をすべきです。それは、世界の多く国から歓迎されるに違いありません。

⑦日本の置かれた地理的条件と経済的条件の融合により、世界のどこにもない日本が、近い将来築かれるのです。

〈著者紹介〉
松浦浩司（まつうら こうじ）
元立正大学経営学部教授。専門は会計学。
現在は著作に専念しています。
それらが本として刊行されることを願いながら。

グラフで一目瞭然！
日本の現在と未来

2023年7月28日　第1刷発行

著　者　　松浦浩司
発行人　　久保田貴幸

発行元　　株式会社 幻冬舎メディアコンサルティング
　　　　　〒151-0051　東京都渋谷区千駄ヶ谷4-9-7
　　　　　電話　03-5411-6440（編集）

発売元　　株式会社 幻冬舎
　　　　　〒151-0051　東京都渋谷区千駄ヶ谷4-9-7
　　　　　電話　03-5411-6222（営業）

印刷・製本　中央精版印刷株式会社
装　丁　　古川和希

検印廃止
©KOJI MATSUURA, GENTOSHA MEDIA CONSULTING 2023
Printed in Japan
ISBN 978-4-344-94564-7 C0033
幻冬舎メディアコンサルティングＨＰ
https://www.gentosha-mc.com/

※落丁本、乱丁本は購入書店を明記のうえ、小社宛にお送りください。
送料小社負担にてお取替えいたします。
※本書の一部あるいは全部を、著作者の承諾を得ずに無断で複写・複製することは
禁じられています。
定価はカバーに表示してあります。